Gemeentelijke Bibliotheek
Beveren
Gedecentraliseerd
Bibliotheekwerk

Solea

Jean-Claude Izzo

# Solea

Uit het Frans vertaald
door Marijke Scholts

UITGEVERIJ DE GEUS

Deze uitgave is mede mogelijk gemaakt dankzij een bijdrage van het Franse ministerie van Cultuur, het Franse ministerie van Buitenlandse Zaken, het Institut Français des Pays-Bas/Maison Descartes en de BNP Paribas

Oorspronkelijke titel *Solea*, verschenen bij Éditions Gallimard

Omslagontwerp Uitgeverij De Geus
Omslagillustratie © David Turnley/Corbis/TCS
Foto auteur © Jacques Sassier
Druk Koninklijke Wöhrmann bv, Zutphen
ISBN 90 445 0160 7
NUR 331 / 305



Verspreiding in België via Libridis nv, Industriepark-Noord 5a, 9100 Sint-Niklaas

# Noot van de auteur

Het is goed het nog eens te herhalen. Dit is een roman. Niets van wat u gaat lezen is echt gebeurd. Maar omdat het me onmogelijk is onverschillig te blijven bij het dagelijks lezen van de kranten, volgt dit verhaal de wegen van de werkelijkheid. Want daar speelt alles zich af, in de werkelijkheid. En in de werkelijkheid overtreft de gruwelijkheid met afstand alle denkbare fictie. Wat betreft Marseille, mijn stad, altijd ergens tussen tragedie en licht in, dat weerspiegelt, zoals het hoort, de echo van wat ons bedreigt.

*Voor Thomas,*
*als hij eenmaal groot is*

‘Maar iets zei me dat het normaal was, dat we op bepaalde momenten in ons leven lijken moeten omhelzen.’

– Patricia Melo

# Inhoud

# Proloog

## Ver uit het oog, dicht bij het hart,
## Marseille voor altijd

Haar leven was daarginds, in Marseille. Daarginds, achter de bergen die vanavond door de ondergaande zon in een helderrode gloed werden gezet. Het gaat morgen waaien, dacht Babette.

In de twee weken dat ze nu in dit gehucht was, Le Castellas in de Cevennen, was ze 's avonds steeds de bergkam opgelopen. Over het pad waarlangs Bruno met zijn geiten liep.

Er verandert hier niets, had ze gedacht op de ochtend dat ze aankwam. Alles gaat dood en wordt herboren. Zelfs al zijn er meer dorpen die sterven dan herboren worden. Op een gegeven moment komt een mens altijd weer bij de oude gebaren uit. En begint alles opnieuw. De overwoekerde paden krijgen hun reden van bestaan terug.

'De bergen blijven het zich herinneren', had Bruno gezegd toen hij een grote kom zwarte koffie voor haar had neergezet.

Ze had Bruno in 1988 ontmoet. Het was de eerste grote reportage die Babette voor de krant had mogen maken. Hoe staat het, twintig jaar na mei 1968, met de actievoerders van toen?

De jonge filosoof en anarchist Bruno had op de barricades van het Quartier Latin in Parijs gevochten. *Ren, kameraad, de oude wereld zit achter je aan.* Dat was zijn enige motto geweest. Hij had gerend, ondertussen stenen en molotovcocktails gooiend naar de oproerpolitie. Hij had in wolken traangas gerend, met de oproerpolitie op zijn hielen. Alle kanten was hij opgerend, in mei, in juni, om te voorkomen dat hij werd ingehaald door het geluk van de oude wereld, door de dromen en de moraal van de oude wereld. De stompzinnigheid en de smeerlapperij van de oude wereld.

Toen de bonden de Akkoorden van Grenelle tekenden, de arbeiders de weg naar de fabriek terugvonden en de studenten die naar de universiteit, wist Bruno dat hij niet hard genoeg had gerend. Hij niet, en niemand van zijn generatie. De oude wereld had hen ingehaald. Poen werd droom en moraal. Het enige levensgeluk. De oude wereld creëerde een nieuw tijdsgewricht, de ellende van de mensen.

Zo had Bruno het Babette verteld. Hij praat als Rimbaud, had ze gedacht, ontroerd, geboeid ook door deze aantrekkelijke veertiger.

Hij en vele anderen waren daarna uit Parijs gevlucht. Naar de Ariège, de Ardèche, de Cevennen. Naar de ontvolkte dorpen. *Lo Païs*, zoals ze graag zeiden. Tussen de wrakstukken van hun illusies werd een nieuw verzet geboren. Terug naar de natuur, als een grote familie. Met gedeelde bezittingen. Ze ontdekten een nieuw land. *Het ongerepte Frankrijk.* Velen vertrokken een paar jaar later weer. De grootste doorzetters hielden het een jaar of vijf, zes vol. Bruno had zich gehecht aan dit gehucht dat hij had opgeknapt. Alleen, met zijn kudde geiten.

Na het interview had Babette die avond met hem geslapen.

'Blijf', had hij haar gevraagd.

Maar ze was niet gebleven. Het was niet haar leven.

In de loop der jaren was ze hem regelmatig blijven opzoeken. Steeds als ze daar in de buurt was. Bruno had nu een vriendin, twee kinderen, elektriciteit, tv en een computer, en hij maakte honing en geitenkaas.

'Als je ooit in de knoei komt te zitten', had hij tegen Babette gezegd, 'kom dan hierheen. Aarzel niet. Tot beneden in het dal wonen alleen maar vrienden.'

Deze avond miste Babette Marseille heel erg. Maar ze wist niet wanneer ze terug zou kunnen. En dan nog. Als ze er ooit weer terug zou komen, zou niets, niets meer hetzelfde zijn als vroeger. Ze zat niet in de knoei, het was erger. De gruwel had zich in haar hoofd gevestigd. Zodra ze haar ogen sloot, zag ze het dode lichaam van Gianni weer voor zich. En achter zijn lichaam het lijk van Francesco en dat van Beppe, die ze niet gezien had, maar waar ze zich een voorstelling van maakte. Gemartelde lichamen, verminkt. Met al dat bloed eromheen, zwart, gestold. En nog meer lijken. Achter haar. Voor haar, vooral. Onontkoombaar.

Toen ze ontredderd, met de angst in haar lijf, uit Rome was vertrokken, had ze niet geweten waar ze naartoe moest gaan. Om veilig te zijn. Om alles zo rustig mogelijk te overdenken. Om al haar papieren in orde te brengen, te sorteren, de informatie te rangschikken, na te trekken, te ordenen, te staven. Het belangrijkste onderzoek van haar leven af te ronden. Over de maffia in Frankrijk en met name in Zuid-Frankrijk. Nog nooit was iemand zo ver gegaan. Te ver, besefte ze nu. Ze had zich de woorden van Bruno herinnerd.

'Ik zit in de knoei. Heel erg.'

Ze belde vanuit een cel in La Spezia. Het was bijna één uur 's nachts. Bruno sliep. Hij stond vroeg op, vanwege de dieren. Babette trilde. Twee uur eerder was ze in Manarola aangekomen, na in één ruk en in dolle vaart vanaf Orvieto te hebben gereden. Het was een klein dorp in de Cinque Terre, boven op een rotsachtige berg, waar Beppe woonde, een oude vriend van Gianni. Ze had zijn nummer gedraaid, zoals hij haar gevraagd had te doen. Uit voorzorg, had hij haar die ochtend nog duidelijk gemaakt.

*'Pronto.'*

Babette had de verbinding verbroken. Dat was niet de stem van Beppe. Daarna had ze gezien hoe twee wagens van de *carabinieri* in de hoofdstraat parkeerden. Ze twijfelde geen seconde: de moordenaars waren er eerder geweest dan zij.

Ze had de weg in omgekeerde richting afgelegd, een bergweg, smal, bochtig. Verkrampt aan het stuur, uitgeput, maar alert op de weinige auto's die haar wilden passeren of tegemoet kwamen.

'Kom', had Bruno gezegd.

Vlak bij het station, in de Albergo Firenze e Continentale, had ze een miezerige kamer gevonden. 's Nachts had ze geen oog dichtgedaan. De treinen. De aanwezigheid van de dood. Tot in het kleinste detail kwam alles in haar herinnering terug. Een taxi had haar afgezet op het Piazza Campo dei Fiori. Gianni was terug uit Palermo. Hij wachtte thuis op haar. Tien dagen is lang, had hij aan de telefoon tegen haar gezegd. Voor haar had het ook lang geduurd. Ze wist niet of ze van Gianni hield, maar heel haar lichaam verlangde naar hem.

'Gianni! Gianni!'

De deur stond open, maar ze had zich niet ongerust gemaakt.

'Gianni!'

Daar was hij. Vastgebonden op een stoel. Naakt. Dood. Ze sloot haar ogen, maar te laat. Ze wist dat ze met dit beeld zou moeten leven.

Toen ze haar ogen weer open had gedaan, had ze de brandplekken gezien op zijn bovenlijf, zijn buik, zijn dijen. Nee, ze wilde er niet langer naar kijken. Ze wendde haar ogen af van Gianni's verminkte geslacht. Ze begon te gillen. Ze zag zichzelf gillen, verstijfd, verkrampt, met slap neerhangende armen, haar mond wijdopen. Haar schreeuw vermengde zich met de geur van bloed, stront en pis die in het vertrek hing. Toen ze geen adem meer had, braakte ze. Voor de voeten van Gianni. Waar, in krijt op het parket geschreven, stond te lezen: 'Cadeau voor Mademoiselle Bellini. Tot later.'

De ochtend van haar vertrek uit Orvieto werd Francesco, de oudste broer van Gianni, vermoord. Beppe vlak voordat ze aankwam.

De jacht op haar was geopend.

Bruno was haar bij de bushalte in Saint-Jean-du-Gard op komen halen. In La Spezia had ze de trein naar Ventimiglia genomen, daarna was ze met een huurauto langs de kleine grenspost van Menton gereden, met de trein naar Nîmes, en toen met de bus. Bij wijze van geruststelling. Ze geloofde niet dat ze haar volgden. Ze zouden bij haar huis wachten, in Marseille. Dat was logisch. En de maffia had een onverbiddelijke logica. Dat had ze in twee jaar onderzoek bij vele gelegenheden kunnen vaststellen.

Toen ze bijna in Le Castellas waren, op het punt vanwaar je over het dal kon uitkijken, had Bruno zijn oude jeep stilgezet.

'Kom, dan gaan we een eindje lopen.'

Ze waren gelopen tot het punt waar de bergwand loodrecht naar beneden ging. Le Castellas, dat drie kilometer hoger lag, aan het eind van een onverhard pad, was nauwelijks te zien. Verder kon je niet.

'Hier ben je veilig. Als er iemand naar boven komt, belt Michel me, de boswachter. En als iemand over de bergkammen wil komen, zal Daniel ons waarschuwen. We hebben onze gewoontes niet veranderd, ik bel vier keer per dag, hij ook. Als een van ons niet op de afgesproken tijd belt, dan is er narigheid. Toen Daniels tractor was omgeslagen kwamen we dat op die manier te weten.'

Babette had hem aangekeken, niet in staat een woord uit te brengen. Zelfs geen dankjewel.

'En voel je niet verplicht om me je rottigheid te vertellen.'

Bruno had haar in zijn armen genomen en ze was gaan snotteren.

Babette huiverde. De zon was verdwenen en voor haar ogen tekenden de bergen zich violetkleurig tegen de hemel af. Met de punt van haar schoen drukte ze zorgvuldig haar sigarettenpeuk uit, stond op en ging terug naar Le Castellas. Het dagelijkse wonder van de zonsondergang had haar gekalmeerd.

Op haar kamer herlas ze de lange brief die ze aan Fabio had geschreven. Ze vertelde hem alles, vanaf haar aankomst in Rome twee jaar geleden. Tot aan de ontknoping. Haar ontreddering. Maar ook haar vastberadenheid. Ze zou doorgaan tot het eind. Ze zou haar onderzoek publiceren. In een krant of in een boek. 'Alles moet bekend worden', benadrukte ze.

Ze had de schoonheid van de zonsondergang in gedachten en daar wilde ze de brief mee eindigen. Alleen maar om Fabio te vertellen dat de zon, ondanks alles, mooier was boven de zee, nee, niet mooier maar waarachtiger, nee, dat was het niet, nee, ze wilde samen met hem zijn in zijn boot, nabij Riou en zien hoe de zon versmolt met de zee.

Ze verscheurde de brief. Op een blanco velletje schreef ze: 'Ik hou nog steeds van je.' En daaronder: 'Bewaar dit goed voor me.' Ze deed vijf diskettes in een luchtkussenenvelop, plakte die dicht en stond op om zich bij Bruno en zijn gezin te voegen voor het eten.

# I

## Waarin wat je op je hart hebt soms beter te horen is dan wat je hardop zegt

Het leven stonk naar de dood.

Die gedachte zat in mijn hoofd toen ik gisteravond bij Hassan binnenstapte, in de Bar des Maraîchers. Het was niet zomaar een gedachte die weleens bij je opkomt, nee, ik rook de dood werkelijk om me heen. Die geur van verrotting. Weerzinwekkend. Ik had aan mijn arm gesnoven en ervan gewalgd. Het was diezelfde geur. Ik stonk zelf ook naar de dood. 'Rustig, Fabio', had ik mezelf bezworen, 'ga naar huis, neem snel een douche en ga er op je gemak met de boot op uit. Een beetje frisse zeelucht, dan is alles weer in orde, dat zul je zien.'

Het was warm, dat was zo. Een dikke dertig graden en in de lucht een kleverige mengeling van vocht en vuil. Marseille stikte. En dat maakte dorstig. Dus in plaats van rechtstreeks via de Vieux Port en de Corniche te gaan – de makkelijkste weg naar mijn huis, in Les Goudes – was ik aan het eind van de Canebière de smalle Rue Curiol ingeslagen. De Bar des Maraîchers was helemaal boven aan de straat, vlak bij de Place Jean-Jaurès.

In de bar van Hassan voelde ik me op mijn gemak. De stamgasten gingen er met elkaar om zonder dat leeftijd, sekse, huidskleur of sociale status iets uitmaakte. Je was er onder vrienden. De mensen die hier hun pastis kwamen drinken stemden niet op het Front National en hadden dat ook nooit gedaan, daar kon je zeker van zijn. Ook niet één keer in hun leven, zoals sommige mensen die ik kende. In deze bar wist iedereen heel goed waarom hij bij Marseille hoorde en niet bij een andere stad, waarom hij in Marseille woonde en niet ergens anders. De vriendschap die tussen de anijsdampen zweefde, kwam tot uiting in een blik van verstandhouding. Die van de ballingschap van onze vaders. En dat was geruststellend. We hadden niets te verliezen, want we hadden alles al verloren.

Toen ik binnenkwam, zong Ferré:

*Ik weet dat ze komen*
*treinen vol brownings, beretta's*
*en veel zwarte bloemen*
*En bloemisten die bloedbaden bereiden*
*Voor het nieuws in kleur op de tévé*

Ik had een pastis gedronken aan de bar en zoals gebruikelijk had Hassan me weer een nieuwe ingeschonken. Daarna had ik de tel niet meer bijgehouden. Op een gegeven moment, bij de vierde pastis of zo, had Hassan zich naar me toe gebogen.

'De arbeidersklasse is een beetje links, vind je ook niet?'

Eigenlijk was het geen vraag, maar een constatering. Een bevestiging. Hassan was geen prater. Maar hij mocht graag zo nu en dan een uitspraak voorleggen aan de klant die tegenover hem zat. Als een spreuk om over na te denken.

'Wat wil je dat ik zeg?' had ik geantwoord.

'Niks. Er valt niks te zeggen. Het gaat zoals het gaat. En zo is het. Kom, drink je glas leeg.'

De bar was langzaam volgelopen, waardoor de temperatuur een aantal graden was gestegen. Maar buiten, waar sommigen hun glas leeg gingen drinken, was het nauwelijks beter. De avond had geen greintje frisse lucht gebracht. Je huid plakte van het klamme zweet.

Ik was naar buiten gegaan om op de stoep met Didier Perez te praten. Hij was bij Hassan binnengestapt en zodra hij me in het oog kreeg was hij naar me toe gekomen.

'Jou moest ik net hebben.'

'Je hebt geluk, want ik was van plan te gaan vissen.'

'Zullen we naar buiten gaan?'

Op een avond had Hassan me aan Perez voorgesteld. Perez was schilder en had een hartstochtelijke belangstelling voor de magie van tekens. We waren even oud. Zijn ouders, die oorspronkelijk uit Almería kwamen, waren na de overwinning van Franco naar Algerije geëmigreerd. Daar was hij geboren. Toen Algerije onafhankelijk werd, bestond er noch voor hen noch voor hem twijfel over de nationaliteit die ze zouden aannemen. Ze zouden Algerijn zijn.

In 1993 was Perez uit Algerije vertrokken. Als docent aan de Kunstacademie was hij een van de leiders van de bond voor artiesten, intellectuelen en wetenschappers. Toen hij steeds explicieter met de dood werd bedreigd, raadden zijn vrienden hem aan er een tijdje vandoor te gaan. Hij was nauwelijks een week in Marseille toen hij hoorde dat de directeur en zijn zoon binnen de muren van de school waren vermoord. Hij besloot met zijn vrouw en kinderen in Marseille te blijven.

Zijn grote liefde voor de Toearegs nam me dadelijk voor hem in. De woestijn kende ik niet, maar ik kende de zee. Dat leek me hetzelfde. Daar hadden we lang over gepraat. Over aarde en water, stof en sterren. Op een avond bood hij me een zilveren ring aan, kunstig bewerkt met punten en streepjes.

'Die komt van daarginds. Kijk, die combinatie van punten en lijnen, dat is het *Khaten.* Dat voorspelt wat er zal gebeuren met degenen die je liefhebt en die zijn vertrokken, en hoe jouw toekomst eruit zal zien.'

Perez had de ring in mijn handpalm gelegd.

'Ik weet niet of me dat wel interesseert.'

Hij had gelachen.

'Maak je niet ongerust, Fabio. Daarvoor moet je de tekens kunnen lezen. De *Khat el R'mel.* En ik heb niet het idee dat je morgen al doodgaat! Maar wat geschreven staat, staat geschreven, wat er ook gebeurt.'

Ik had nog nooit van mijn leven een ring gedragen. Zelfs die van mijn vader niet, na zijn dood. Ik had een moment geaarzeld, maar hem toen aan de ringvinger van mijn linkerhand geschoven. Als om definitief mijn leven aan mijn lot te verbinden. Die avond leek ik er eindelijk oud genoeg voor te zijn.

Met ons glas in de hand hadden we op het trottoir over wat onbenulligheden staan praten toen Perez zijn arm om mijn schouder had gelegd.

'Ik wil je om een gunst vragen.'

'Vertel op.'

'Ik verwacht iemand. Iemand bij ons vandaan. Ik zou het fijn vinden als je hem onderdak zou geven. Voor een week. Bij mij is het te klein, dat weet je.'

Met zijn zwarte ogen keek hij me onderzoekend aan. Bij mij thuis was het nauwelijks groter. Het strandhuisje dat ik van mijn ouders had geërfd, had maar twee kamers. Een kleine slaapkamer en een woonkeuken. Dat strandhuisje had ik zo goed als ik kon opgeknapt, eenvoudig, met zo weinig meubels dat ze me niet in de weg stonden. Ik voelde me er goed. Het terras kwam uit op zee. Acht treden lager lag mijn boot, een punter die ik van mijn buurvrouw Honorine had overgenomen. Dat wist Perez. Ik had hem meerdere malen met vrouw en vrienden te eten gevraagd.

'Dan zou ik me gerust voelen, als 't bij jou kon', had hij eraan toegevoegd.

Op mijn beurt had ik hem aangekeken.

'Oké, Didier. Vanaf wanneer?'

'Dat weet ik nog niet. Morgen, overmorgen, over een week. Ik weet 't niet. Het is niet gemakkelijk, dat weet je. Ik bel je wel.'

Nadat hij was weggegaan, was ik weer op mijn plaats aan de bar gaan zitten. Om met de een of ander wat te drinken – en met Hassan, die nooit een rondje voorbij liet gaan. Ik luisterde naar de gesprekken. En naar de muziek. Na het officiële aperitiefuur verving Hassan Ferré voor jazz. Hij zocht de stukken met zorg uit. Alsof er een klank te vinden was die paste bij de sfeer van het moment. De dood verwijderde zich, die geur. En geen misverstand, ik rook liever anijs.

'Ik ruik liever anijs', had ik tegen Hassan geschreeuwd.

Ik begon aangeschoten te raken.

'Tuurlijk.'

Hij had me een knipoog gegeven. Altijd die stilzwijgende verstandhouding. En Miles Davis begon aan 'Solea'. Een stuk dat ik fantastisch vond. Waar ik 's nachts onophoudelijk naar luisterde sinds Lole me had verlaten.

'De *solea*', had ze me op een avond uitgelegd, 'is de ruggengraat van het flamencolied.'

'Waarom zing jij niet? Flamenco, jazz...'

Ik wist dat ze een schitterende stem had. Dat had Pedro, een van haar neven, me verteld. Maar Lole had altijd geweigerd buiten de familiekring te zingen.

'Ik ben er nog niet uit wat ik precies wil', had ze me geantwoord, na een lange stilte.

Dezelfde stilte die je moet weten te vinden als de spanning van de *solea* haar climax bereikt.

'Je begrijpt er niets van, Fabio.'

'Wat zou ik moeten begrijpen?'

Met een verdrietige glimlach had ze me aangekeken.

Dat was in de laatste weken van ons leven samen. Op zo'n avond dat we eindeloos bleven discussiëren, de ene peuk met de andere aanstaken en grote glazen Lagavulin-whisky dronken.

'Lole, vertel me wat ik zou moeten begrijpen.'

Ik had gevoeld dat ze zich van me losmaakte. Iedere maand

iets meer. Zelfs haar lichaam had zich afgesloten. Het bezat geen hartstocht meer. Onze begeerte was niet meer inventief. Ze liet alleen een liefdesgeschiedenis voortbestaan die voorbij was. De nostalgie naar een liefde die ooit zou hebben kunnen bestaan.

'Er valt niets uit te leggen, Fabio. Dat is de tragiek van het leven. Je luistert al jaren naar de flamenco en nog steeds vraag je je af wat je moet begrijpen.'

Een brief, een brief van Babette, had alles in gang gezet. Babette had ik leren kennen toen ik tot hoofd van de veiligheidsbrigade in de noordelijke wijken van Marseille werd benoemd. Zij was aankomend journaliste. Min of meer toevallig had haar krant, *La Marseillaise*, haar aangewezen om die zeldzame vogel te interviewen die door de politie naar het slagveld was gestuurd, en we waren minnaars geworden. 'Geliefden met tussenpozen', noemde ze ons graag. Daarna waren we vrienden geworden. Zonder dat we elkaar ooit hadden gezegd dat we van elkaar hielden.

Twee jaar geleden had ze een Italiaanse advocaat ontmoet, Gianni Simeone. Liefde op het eerste gezicht. Ze was hem naar Rome gevolgd. Omdat ik haar kende, wist ik dat de liefde niet de enige reden kon zijn. Daar had ik me niet in vergist. Haar geliefde de advocaat was gespecialiseerd in processen tegen de maffia. En al jarenlang, vanaf het moment dat ze een belangrijk freelance reporter was geworden, was dit Babettes droom: het meest diepgaande onderzoek over de netwerken en de invloed van de maffia in het zuiden van Frankrijk schrijven.

Toen ze even terug was in Marseille om in zakelijke en politieke kringen wat informatie na te trekken, had ze me verteld hoever ze met haar werk was, en wat ze allemaal nog moest doen. Een keer of drie, vier ontmoetten we elkaar in restaurant Chez Paul in de Rue Saint-Saëns, om bij een gegrilde zeewolf met venkel met elkaar te praten. Samen met L'Oursin was Chez Paul een van de weinige restaurants aan de haven waar je je niet als toerist behandeld voelde. Een plezierige bijkomstigheid was het aspect van de namaakverliefdheid van ons weerzien. Maar ik kon niet zeggen waarom. Het niet voor mezelf verklaren. Laat staan het aan Lole uitleggen.

En toen Lole terugkwam uit Sevilla, waar ze haar moeder had opgezocht, vertelde ik haar niets over Babette en onze ontmoetingen. Lole en ik kenden elkaar sinds onze puberteit. Ze had van Ugo gehouden. Daarna van Manu. Vervolgens van mij. De laatste overlevende van de dromen die we gekoesterd hadden. Mijn leven had geen geheimen voor haar. Ook de vrouwen niet die ik had liefgehad, en weer was kwijtgeraakt. Maar ik had haar nooit over Babette verteld. Het leek me te ingewikkeld, wat er tussen ons was geweest. Wat er nog steeds tussen ons was.

'Wie is die Babette, tegen wie je zegt ik hou van je?'

Ze had een brief van Babette opengemaakt. Per ongeluk, of uit jaloezie, dat deed er niet toe. 'Waarom moet het woord liefde zoveel betekenissen hebben', had Babette geschreven. 'Wij hebben ik hou van je tegen elkaar gezegd...'

'Er is ik hou van je en ik hou van je', had ik later gestameld.

'Zeg dat nog 'ns.'

Hoe moet je dat zeggen: ik hou van je uit trouw aan een liefde die nooit heeft bestaan, en ik hou van je vanuit de waarachtigheid van een liefde die ontstaat uit de duizenden dagelijkse momenten van geluk.

Ik was niet openhartig genoeg geweest. Niet oprecht genoeg. Ik was verstrikt geraakt in allerlei valse verklaringen. Verward, steeds verwarder. En aan het eind van een mooie zomeravond was ik Lole kwijtgeraakt. We zaten op mijn terras en dronken een fles witte wijn uit de Cinque Terre. Een Vernazza, die vrienden voor ons hadden meegebracht.

'Wist je dat?' had ze gevraagd. 'Als je niet meer kunt leven, heb je het recht om te sterven en van je dood een laatste vonk te maken.'

Sinds Lole weg was, had ik haar woorden tot de mijne gemaakt. En ik zocht naar de vonk. Vertwijfeld.

'Wat zei je?' had Hassan gevraagd.

'Heb ik wat gezegd?'

'Dat dacht ik.'

Hij had nog een rondje ingeschonken en zich daarna naar me toe gebogen: 'Wat je op je hart hebt is soms beter te horen dan wat je hardop zegt.'

Op dat punt had ik moeten stoppen, mijn glas leeg moeten drinken en naar huis gaan. En met de boot naar de Îles de Riou varen om naar de zonsopgang te kijken. Wat er in mijn hoofd rondspookte, beangstigde me. Ik had gemerkt dat de geur van de dood weer om me heen kwam hangen. Met mijn vingertoppen had ik over de ring gestreken die Perez me had gegeven, zonder echt te weten of het een goed of een slecht voorteken was.

Achter mij was een merkwaardige discussie ontstaan tussen een jongeman en een vrouw van een jaar of veertig.

'Verdomme!' had de jongeman zich opgewonden. 'Je lijkt Merteuil wel.'

'Wie mag dat wel wezen?'

'Madame de Merteuil. Uit een roman. *Les Liaisons dangereuses.*'

'Nooit van gehoord. Is dat een belediging?'

Ik moest erom glimlachen en had Hassan gevraagd me nog eens in te schenken. Op dat moment was Sonia binnengekomen. Dat wil zeggen, ik wist natuurlijk nog niet dat ze Sonia heette. Deze vrouw was ik de afgelopen tijd een paar keer tegengekomen. De laatste keer was in juni geweest, bij het sardinefeest in L'Estaque. We hadden nooit met elkaar gesproken.

Nadat ze zich een weg naar de bar had gebaand, had ze zich tussen een klant en mij gedrongen. Tegen mij aan.

'Vertel me niet dat u naar me op zoek was.'

'Hoezo?'

'Dat heeft een vriend van me vanavond ook al geflikt.'

Een glimlach verlichtte haar gezicht.

'Ik zocht u niet. Maar het doet me plezier dat ik u hier tref.'

'Mij ook! Hassan, schenk iets in voor mevrouw.'

'De mevrouw heet Sonia', had hij gezegd.

En hij gaf haar een whisky met ijs. Ongevraagd. Als aan een vaste bezoeker.

'Op onze gezondheid, Sonia.'

Op dat moment begon de avond te kantelen. Toen onze glazen tegen elkaar klonken. En de grijsblauwe ogen van Sonia zich in de mijne boorden. Ik kreeg een stijve. Zo erg dat het bijna zeer deed. Ik had de maanden niet geteld, maar het was een verdomd lange tijd geleden dat ik met een vrouw had geslapen. Ik was geloof ik bijna vergeten dat je een stijve kon krijgen.

Er volgden meer rondjes. Eerst aan de bar, daarna aan een tafeltje dat vrij was gekomen. Sonia's dijbeen tegen het mijne aangedrukt. Gloeiend. Ik weet nog dat ik me afvroeg waarom de dingen altijd zo snel gebeuren. Liefdes. Je zou willen dat het op een ander moment gebeurde, als je op je best bent, als je je klaar voelt voor de ander. Een andere vrouw. Een andere man. Ik bedacht dat je in feite niets over je leven te vertellen hebt. En nog veel meer zaken. Maar die herinner ik me niet meer. Ook niet van wat Sonia me allemaal verteld kon hebben.

Ik herinnerde me niets meer van het eind van die avond.

En toen rinkelde de telefoon.

De telefoon rinkelde en dat scheurde mijn slapen uiteen. Er woedde een storm in mijn kop. Ik spande me verschrikkelijk in en opende mijn ogen. Ik lag naakt op mijn bed.

De telefoon rinkelde nog steeds. Shit! Waarom vergat ik toch steeds om dat verdomde antwoordapparaat aan te zetten!

Ik draaide me op mijn zij en strekte mijn arm uit.

'Hallo.'

'Montale.'

Een walgelijke stem.

'Verkeerde nummer.'

Ik legde neer.

Nog geen minuut later ging de telefoon weer. Dezelfde walgelijke stem. Met een licht Italiaans accent.

'Je merkt dat we het goeie nummer hebben. Of heb je liever dat we je komen opzoeken?'

Het was niet het soort ontwaken waarvan ik had gedroomd. Als een ijskoude douche drong de stem van deze figuur mijn lichaam binnen. Om mijn botten te bevriezen. Ik wist wat voor gezicht er bij dat soort stemmen hoorde, en wat voor lichaam. En zelfs waar ze hun blaffer hadden opgeborgen.

Ik legde mijn hersens het zwijgen op.

'Ik luister.'

'Eén vraagje maar. Weet je waar Babette Bellini is?'

Het was geen ijskoude douche meer die in mij stroomde, maar Siberische kou. Ik begon te beven. Ik trok aan het laken en wikkelde mezelf erin.

'Wie zeg je?'

'Hou je niet van de domme, Montale. Je vriendinnetje Babette, die verdomde steekneus. Weet je waar we haar kunnen vinden?'

'Ze was in Rome', zei ik, mezelf voorhoudend dat ze daar wel niet meer zou zijn als ze haar hier zochten.

'Daar is ze niet meer.'

'Ze zal vergeten zijn me bericht te sturen.'

'Interessant', hoonde de kerel.

Er viel een stilte. Zo zwaar dat mijn oren begonnen te suizen.

'Was dat alles?'

'Luister goed, Montale. Je ziet maar hoe je 't klaarspeelt, maar je probeert je vriendinnetje voor ons op te duikelen. Ze heeft dingen die we graag terug willen, snap je. Omdat je toch geen moer te doen hebt in dat pokkeleven van je, moet dat een fluitje van een cent voor je zijn, dacht je niet?'

'Sodemieter op.'

'Als ik weer bel, zul je wel anders piepen, Montale.'

Hij hing op.

Ik had me niet vergist, het leven stonk naar de dood.

# 2

## Waarin de gewenning aan het leven geen echte reden is om te leven

Op de tafel had Sonia een briefje neergelegd, naast de sleutels van mijn auto. 'Je was stomdronken. Jammer. Bel me vanavond. Een uur of zeven. Zoen.' Daaronder stond haar telefoonnummer. De tien winnende cijfers voor een uitnodiging tot het geluk.

Sonia. Ik glimlachte bij de herinnering aan haar grijsblauwe ogen, haar gloeiende dij tegen de mijne. En ook aan haar glimlach, als die haar gezicht oplichtte. Mijn enige herinneringen aan haar. Maar nu al mooie herinneringen. Ik kon bijna niet wachten tot het avond was. Net zomin als mijn geslacht, dat zich bij de gedachte alleen al roerde in mijn short.

Mijn hoofd leek zwaar als een berg. Ik aarzelde tussen een douche en een kop koffie. De koffie won. En een sigaret. De eerste trek scheurde mijn darmen uit elkaar. Ik dacht dat ze door mijn mond naar buiten zouden komen. Wat een rotzooi! dacht ik, terwijl ik voor het principe nog een trek nam. De tweede aanval van misselijkheid was nog veel erger. Het bonzen in mijn hoofd kwam er in alle hevigheid mee terug.

Ik boog me over de gootsteen. Maar er was niets om over te geven. Zelfs mijn longen niet. Nog niet! Waar was de tijd gebleven dat ik met de eerste trek van de eerste sigaret al mijn levenslust inzoog? Lang-, langgeleden. Voor de demonen die in mijn borst gevangen zaten, was er niet veel over waar ze hun tanden in konden zetten. Omdat de gewenning aan het leven niet echt een reden is om te leven. Daar werd ik iedere ochtend aan herinnerd als ik stond over te geven.

Ik hield mijn hoofd onder de koude kraan, schreeuwde een paar keer flink, rekte me daarna uit en kwam weer op adem, zonder dat ik de peuk die mijn vingers verbrandde losliet. Al een tijdje sportte ik niet genoeg meer, en ik maakte te weinig wandelingen langs de kreken. Ook trainde ik niet meer regelmatig in de bokszaal van Mavros. Uitgebreide maaltijden, alcohol, sigaretten. 'Over tien jaar ben je dood, Montale', hield ik mezelf voor. 'Doe iets, verdomme!' Ik dacht weer aan Sonia. Met steeds meer plezier. Toen schoof het beeld van Babette over het hare.

Waar was Babette? In wat voor wespennest had ze zich gestoken? De dreigementen van de man aan de telefoon waren geen bangmakerij. In ieder woord had ik er het reële gewicht van gevoeld. De kille manier waarop ze werden uitgesproken. Ik drukte de opgerookte sigaret uit en stak een nieuwe aan, terwijl ik tegelijkertijd koffie inschonk. Ik nam een slok, zoog de rook van mijn sigaret diep naar binnen en liep vervolgens naar het terras.

De brandende zon trof me vol in het gezicht. Verblinding. Aan alle kanten brak het zweet me uit. Mijn hoofd tolde. Een ogenblik dacht ik dat ik van mijn stokje zou gaan. Maar nee. De vloer van mijn terras vond zijn evenwicht terug. Ik deed mijn ogen weer open. Het enige echte cadeau dat het leven me iedere dag weer gaf, lag voor me. Ongeschonden. De zee, de lucht. Tot in het oneindige. Met dat licht, dat met geen ander te vergelijken was, dat ontstond door het samenspel van die twee elementen. Vaak dacht ik dat het omarmen van een vrouwenlichaam in zekere zin het tegen je aan houden was van die onuitsprekelijke vreugde die vanuit de hemel op de zee neerdaalt.

Had ik Sonia's lichaam vannacht tegen me aan gehouden? Als Sonia me had thuisgebracht, hoe was ze dan weer weggegaan? Had zij me uitgekleed? Had ze hier geslapen? Met mij?

Hadden we gevreeën? Nee. Nee, je was stomdronken. Dat had ze geschreven.

De stem van Honorine haalde me uit mijn overpeinzingen.

'Hela, weet je wel hoe laat het is?'

Ik keerde mijn gezicht naar haar toe. Honorine. Mijn lieve, beste Honorine. Ze was alles wat ik nog uit mijn voorbije leven had. Trouw tot het einde. Ze had de leeftijd bereikt waarop je niet ouder meer wordt. Hoogstens was ze ieder jaar weer een beetje gekrompen. Haar gezicht was slechts licht gerimpeld, alsof de slagen van het leven langs haar heen waren gegleden zonder haar te kneuzen, zonder haar blijdschap aan te tasten dat ze op deze wereld was. 'Gelukkig de mensen die dit hebben gezien', zei ze vaak terwijl ze naar de zee en de lucht voor ons wees, met de eilanden op de achtergrond. 'Alleen daarom al ben ik blij dat ik geboren ben. Ondanks alles wat ik heb meegemaakt...' Daar hield haar zin altijd op. Als om haar simpele levensvreugde niet te bezoedelen met ellende en verdriet. Honorine had alleen nog maar gelukkige herinneringen. Ik hield van haar. Zij was de moeder aller moeders. En ze was voor mij alleen.

Ze opende het hekje dat haar terras van het mijne scheidde en kwam met haar karbies in de hand naar me toe met een trage, maar nog altijd vaste tred.

'Zeg,'t is bijna middag!'

Met een wijds gebaar wees ik naar de lucht en de zee.

'Het is vakantie.'

'Vakantie is voor degenen die werken...'

Al maanden was het een obsessie voor Honorine: dat ik werk vond. Dat ik op werk uit ging. Ze kon er niet goed tegen dat een man 'die nog jong is als jij' niets uitvoerde.

Dat was om eerlijk te zijn niet meer helemaal waar. Al meer dan een jaar verving ik Fonfon iedere middag achter de bar. Van twee tot zeven. Hij was van plan geweest zijn café te sluiten. Het te verkopen. Maar hij had zich niet kunnen neerleggen bij dat vooruitzicht. Nadat hij al die jaren zijn klanten had bediend, met ze had gepraat, geruzied, stond sluiten nu gelijk aan doodgaan. Op een ochtend had hij me zijn café aangeboden. Voor het symbolische bedrag van een franc.

'Op die manier', had hij me uitgelegd, 'kan ik je een handje komen helpen. Bij het borreluurtje, bijvoorbeeld. Snap je, zodat ik iets te doen heb.'

Ik had geweigerd. Hij hield zijn bar en ik kwam hém helpen.

'Oké, de middagen dan.'

Zo hadden we afgesproken. De benzine, de sigaretten en mijn nachtelijke uitstapjes naar de stad kostten allemaal wel een paar centen. In mijn spaarpot had ik nog ruwweg zo'n honderdduizend franc. Dat was niet veel, het geld verdween snel, maar het gaf me de tijd om af te wachten wat er kwam. Meer dan genoeg tijd, zelfs. Ik had steeds minder nodig. Het ergste wat me kon overkomen was dat mijn ouwe Renault 5 kapotging en ik een nieuwe moest kopen.

'Honorine, begin daar niet weer over.'

Ze keek me strak aan. Met gefronste wenkbrauwen en samengeknepen lippen. Haar hele gezicht wilde strengheid uitdrukken, maar haar ogen konden dat niet. Daarin lag slechts tederheid. Ze zat me alleen maar op mijn kop uit genegenheid. Uit angst dat me iets naars overkwam als ik door bleef gaan met nietsdoen. Ledigheid is des duivels oorkussen, dat is genoegzaam bekend. Hoe vaak had ze ons niet aan ons hoofd gezeurd met die uitdrukking, als Ugo, Manu en ik hier zaten te niksen. Wij antwoordden haar met citaten van Baudelaire. Verzen uit *Les fleurs du mal*. 'Rust, schoonheid, weelde, zinnelust'. Dan begon ze ons uit te foeteren. Ik hoefde maar naar haar ogen te kijken om te weten of ze woedend was of niet.

Misschien had ze ons werkelijk uit moeten foeteren. Maar Honorine was niet onze moeder. En hoe had zij moeten weten dat we, omdat we altijd bezig waren met lol trappen, uiteindelijk echte stomme streken uit zouden gaan halen? Voor haar waren we een stel pubers, niet slechter of beter dan andere. En we sjouwden altijd rond met stapels boeken waaruit zij ons 's avonds, vanaf haar terras, voor de zee hoorde voorlezen. Honorine heeft altijd gedacht dat je van boeken verstandig, intelligent en serieus werd. Niet dat je ervan ging jatten bij apotheken en benzinestations. Of dat je op mensen ging schieten.

In haar ogen had wél woede gestaan toen ik dertig jaar geleden afscheid van haar had genomen. Een grote woede, die haar sprakeloos had gemaakt. Ik had zojuist voor vijf jaar bij de marine getekend. Bestemming Djibouti. Om weg te vluchten uit Marseille. En uit mijn leven. Want Ugo, Manu en ik hadden een grens overschreden. Manu had in paniek geschoten op een apotheker in de Rue des Trois-Mages die we van zijn inkomsten hadden beroofd. De volgende dag had ik in de krant gelezen dat deze man, een huisvader, voorgoed verlamd zou zijn. Ik had ervan gewalgd, van wat we hadden gedaan.

Mijn afschuw van wapens dateert van die avond. Dat ik politieman was geworden had daar niets aan veranderd. Ik had er nooit toe kunnen besluiten een wapen te dragen. Daar had ik vaak met mijn collega's over gediscussieerd. Natuurlijk, je kon een verkrachter tegenkomen, een psychoot, een gangster. Er was een lange lijst van mensen die op onze weg konden komen, mensen die gewelddadig, gek of gewoon wanhopig waren. En dat was me ook vaak genoeg gebeurd. Maar aan het eind van die weg zag ik altijd Manu staan, met een pistool in zijn hand. En achter hem, Ugo. En mezelf, niet ver weg.

Manu was gedood door gangsters. Ugo door de politie. Ik was nog steeds in leven. Dat beschouwde ik als een geluk. Want gelukkig had ik uit de blik van sommige volwassenen leren begrijpen dat we mensen waren. Menselijke wezens. En dat het niet aan ons was te doden.

Honorine pakte haar karbies.

'Ik zeg al niks meer. Ik kan net zo goed tegen een dove praten.'

Ze liep terug naar haar terras. Bij het hekje draaide ze zich naar me om: 'Zeg, zal ik een pot paprika's openmaken voor 't eten? En wat ansjovis erbij? Dan maak ik een grote salade... Met die hitte.'

Ik glimlachte.

'Ik eet net zo lief een omelet met tomaat.'

'Nou, wat hebben jullie allemaal vandaag! Dat wilde Fonfon ook al.'

'We hebben elkaar gebeld.'

'Hou jij jezelf voor de gek!'

Sinds een paar maanden kookte Honorine ook voor Fonfon. 's Avonds aten we vaak met zijn drieën op mijn terras. In feite brachten Fonfon en Honorine steeds meer tijd samen door. Een paar dagen geleden was Fonfon zelfs zijn middagdutje bij haar komen doen. Om een uur of vijf was hij in de bar teruggekomen, als een verlegen kwajongen die zojuist voor de eerste keer een meisje heeft gekust.

Ik had Fonfon en Honorine geholpen dichter tot elkaar te komen. Het leek me niet goed dat ze beiden in hun eigen eenzaamheid leefden. Hun rouw, en hun trouw aan de geliefde had bijna vijftien jaar van hun leven opgeslokt. Dat leek me meer dan genoeg. Het was geen schande om je leven niet alleen te willen eindigen.

Op een zondagmorgen had ik hun voorgesteld te gaan picknicken op de Îles du Frioul. Het had nog heel wat moeite gekost om Honorine over te halen. Sinds de dood van Toinou, haar man, was ze niet meer op een boot gestapt. Ik had me lichtelijk geërgerd.

'Potverdorie, Honorine! Sinds ik die boot heb, heb ik alleen Lole meegenomen. Ik neem jullie allebei mee omdat ik van jullie hou. Van jullie allebei, begrijp je!'

Er trok een waas van tranen voor haar ogen, daarna had ze

geglimlacht. Toen wist ik dat ze eindelijk de bladzijde had omgeslagen zonder iets van haar leven met Toinou te verloochenen. Op de terugweg had ze hand in hand met Fonfon gezeten en had ik haar tegen hem horen mompelen: 'Nu kunnen we sterven, nietwaar?'

'Daar hebben we toch nog wel even de tijd voor, dacht ik zo', had hij geantwoord.

Ik had mijn hoofd omgedraaid en mijn blik naar de horizon laten dwalen. Naar waar de zee donkerder werd. Compacter. Ik had bedacht dat de oplossing voor alle tegenstrijdigheden in het leven hier lag, in deze zee. Mijn Middellandse Zee. En ik had mezelf ermee zien samenvloeien. Erin opgelost worden om eindelijk alles op te lossen wat ik in mijn leven nooit had opgelost en nooit op zou lossen.

De tranen sprongen in mijn ogen om de liefde van die twee oudjes.

Honorine, die vreemd genoeg geen woord had gezegd, vroeg me aan het eind van de maaltijd: 'Hé, dat donkere vrouwtje dat je vannacht heeft thuisgebracht, komt dat nog terug? Sonia heet ze toch?'

Ik was verbaasd.

'Dat weet ik niet. Hoezo?' hakkelde ik, bijna ongerust.

'Omdat ze me erg aardig lijkt. Daarom dacht ik, gunst...'

Dat was nog zo'n obsessie van Honorine. Dat ik een vrouw vond. Een aardige vrouw, die voor me zorgde, ook al werd ze al akelig bij de gedachte dat een andere vrouw in haar plaats voor me zou koken.

Ik had haar ik weet niet hoe vaak uitgelegd dat Lole de vrouw van mijn leven was. Zij was weggegaan. Omdat ik niet de man had kunnen zijn die zij dacht dat ik was. En, daar twijfelde ik tegenwoordig niet meer aan, de ergste pijn die ik haar aan had kunnen doen, was haar te dwingen weg te gaan. Me te verlaten. Daar werd ik 's nachts vaak wakker van, van die pijn die ik haar had aangedaan. Haar. Ons.

Maar ik had mijn hele leven op Lole gewacht, dus ik was niet van plan daar nu mee op te houden. Ik had de behoefte erin te geloven dat ze terug zou komen. Dat we opnieuw zouden beginnen. Zodat onze dromen, onze oude dromen die ons samen hadden gebracht en ons al zoveel geluk hadden bezorgd, eindelijk simpelweg konden ontluiken. Ongehinderd. Bevrijd van angst en twijfel. Vol vertrouwen.

Wanneer ik dat zei, keek Honorine me bedroefd aan. Ze wist dat Lole tegenwoordig haar leven in Sevilla leidde. Met een gitarist, die van flamenco was overgeschakeld op jazz. In de mooie lijn van Django Reinhardt. Stijl Biréli Lagrène. Ze had eindelijk besloten om voor de *gadjos* te zingen. Sinds een jaar maakte ze deel uit van de groep van haar vriend en gaf ze concerten. Ze hadden samen een album opgenomen. Alle grote jazzthema's. Dat had ze me gestuurd, met slechts een paar woordjes: 'Alles goed?'

'I Can't Give You Anything But Love, Baby...' Verder dan het eerste nummer had ik niet kunnen komen. Niet dat het niet goed was, integendeel. Haar stem was hees. Lieflijk. Met stembuigingen die ze soms tijdens het vrijen had. Maar het was niet Loles stem die ik hoorde, maar de gitaar die vorm gaf aan haar stem. Haar droeg. Dat kon ik niet verdragen. De plaat had ik opgeborgen, maar niet mijn dwaze illusies.

'Hebben jullie elkaar gesproken?' vroeg ik aan Honorine.

'Ja, natuurlijk. We hebben samen koffie gedronken.'

Ze keek me aan met een brede glimlach.

'Ze was niet erg in vorm om te gaan werken, de arme meid.'

Het riep niets bij me op. Ik had geen enkele herinnering aan Sonia's lichaam. Haar naakte lichaam. Ik wist alleen dat de luchtige jurk die ze gisteren aanhad hoge verwachtingen schiep voor gelukzaligheid in de handen van een fatsoenlijk man. Maar, bedacht ik, misschien was ik wel niet zo fatsoenlijk.

'Fonfon heeft Alex gebeld. Weet je wel, die taxichauffeur die soms met jullie komt kaarten. Om haar naar huis te brengen, bedoel ik. Volgens mij was ze iets te laat.'

Het leven ging altijd door.

'En waar heb je 't met Sonia over gehad?'

'Een beetje over haarzelf. En veel over jou. Nou ja, we hebben niet uitgebreid zitten kletsen, hoor. Gewoon wat gepraat.'

Ze vouwde haar servet op en keek me strak aan. Net als eerder op het terras. Maar zonder een spoor van spot.

'Ze zei dat je ongelukkig was.'

'Ongelukkig!'

Ik dwong mezelf te lachen, terwijl ik een sigaret aanstak om me een houding te geven. Wat had ik Sonia in vredesnaam verteld? Ik voelde me als een betrapt kind.

'Ze kent me nauwelijks.'

'Daarom zei ik ook dat ze aardig was. Dat heeft ze van je doorgehad. In korte tijd, als ik 't goed heb begrepen?'

'Precies. Dat heb je goed begrepen', antwoordde ik en ik stond op. 'Ik ga koffie drinken bij Fonfon.'

'Nou zeg, als we geeneens meer kunnen praten!'

Ze was kwaad.

'Laat maar, Honorine. Ik heb niet lang genoeg geslapen.'

'Dat zal 't zijn. Ik heb alleen maar gezegd dat ík haar graag terug zou zien.'

Diep in haar ogen glinsterde opnieuw de spot.

'Ik ook, Honorine. Ik wil haar ook graag terugzien.'

# 3

## Waarin het niet overbodig is een paar illusies over het leven te koesteren

Fonfon had zijn schouders opgehaald. Terwijl ik mijn koffie dronk had ik hem verteld dat ik die middag niet achter de bar kon staan. Het vuile zaakje waarin Babette verzeild geraakt leek, maalde door mijn hoofd. Ik moest haar zien op te sporen. Wat niet zo eenvoudig was in haar geval. Ze kon wel een cruise maken op het jacht van een Arabische emir. Maar dat was niet meer dan een veronderstelling. De aangenaamste. In werkelijkheid raakte ik er, hoe meer ik erover nadacht, steeds meer van overtuigd dat ze op de loop was. Of een veilig stekkie had opgezocht.

Ik had besloten te gaan kijken in haar flat boven aan de Cours Julien, die ze had aangehouden. In de jaren zeventig had ze hem voor een habbekrats gekocht en hij was nu een vermogen waard. De Cours Julien lag in de meest gewilde wijk van Marseille. Aan beide kanten van de promenade, tot de metro Notre-Dame-du-Mont bovenaan, waren er alleen maar restaurants, bars, muziekcafés, antiquairs en Marseillaanse haute couture. Vanaf zeven uur 's avonds was het de ontmoetingsplaats voor heel nachtelijk Marseille.

'Ik wist wel dat 't niet lang zou duren', had Fonfon gemopperd.

'O, Fonfon! 't Is voor één keer.'

'Ja, ja... Nou ja, veel klanten zullen er toch niet komen. Iedereen gaat met z'n kont in 't water zitten. Wil je nog koffie?'

'Als 't mag.'

'Trek niet zo'n gezicht. Ik zei 't alleen om je een beetje te pesten. Ik weet niet wat die vrouwtjes tegenwoordig met je uithalen, maar goeiedag zeg, als je uit bed komt lijkt 't wel of je onder een wals hebt gelegen.'

'Dat ligt niet aan de vrouwtjes, maar aan de pastis. Ik ben de tel kwijtgeraakt, gisteravond.'

'Ik zei vrouwtjes, maar ik bedoelde dat meisje dat ik vanochtend in een taxi heb gezet.'

'Sonia.'

'Precies ja, Sonia. Ze leek me wel aardig.'

'Wacht even, Fonfon! Jij gaat je er niet ook nog mee bemoeien. Dat doet Honorine al, dus je hoeft 't niet te overdrijven.'

'Ik overdrijf niet. Ik zeg 't zoals 't is. En in plaats van dat je god mag weten waar rond gaat zwerven met deze hitte, zou je hetzelfde moeten doen als ik en jezelf een lekker middagdutje gunnen. Dan zal afgelopen nacht...'

'Ga je dicht?'

'Zie je me hier de godganselijke middag al wachten op die ene klant die een glaasje muntlimonade komt drinken? Ik doe 't meteen. En morgen ook. En overmorgen ook. Het is nergens voor nodig je kapot te vervelen zolang 't zo heet is. Je hebt vrij, jongen. Ga maar gauw slapen.'

Ik had niet naar Fonfon geluisterd. Dat had ik wel moeten doen. Ik werd slaperig. Ik pakte een bandje van Mongo Santamaria en zette het op. 'Mambo Terrifico'. Voluit. En ik gaf een beetje meer gas om een schijn van frisse lucht in de auto te laten komen. Met alle raampjes open droop ik evengoed nog. Vanaf La Pointe-Rouge tot aan Le Rond-Point de David zagen de stranden zwart van de mensen. Heel Marseille zat er met zijn kont in het water, zoals Fonfon zei. Hij had gelijk om het café te sluiten. Zelfs de bioscopen, die toch airconditioning hadden, gaven voor vijven geen voorstelling.

Nog geen halfuur later stond ik voor de flat van Babette geparkeerd. De zomerdagen in Marseille zijn een genot. Geen verkeer in de stad, geen parkeerproblemen. Ik belde aan bij Madame Orsini. Tijdens Babettes afwezigheid hield zij de flat schoon, zorgde ervoor dat alles in orde was en zond haar de post na. Ik had haar tevoren gebeld om zeker te weten dat ze thuis zou zijn.

'Met deze hitte ga ik niet naar buiten, hoor. Kom maar langs wanneer het u schikt.'

Madame Orsini deed open. Het was onmogelijk haar leeftijd te schatten. Laten we zeggen tussen de vijftig en de zestig. Het hing van het uur van de dag af. Door en door geblondeerd, niet al te groot, mollig, droeg ze een wijde, dunne jurk die in het tegenlicht niets te raden overliet. Uit de blik waarmee ze naar me keek, maakte ik op dat ze een korte siësta met mij niet zou hebben afgeslagen. Ik wist waarom Babette haar wel mocht. Ook zij was een mannenverslindster.

'Wilt u iets drinken?'

'Nee, dank u wel. Ik heb alleen de sleutels van de flat nodig.'

'Jammer.'

Ze glimlachte. Ik ook. Ze gaf me de sleutels.

'Ik heb al een hele tijd niks van Babette gehoord.'

'Het gaat goed met haar', loog ik. 'Ze heeft veel werk.'

'Is ze nog altijd in Rome?'

'En met haar advocaat.'

Madame Orsini keek me eigenaardig aan.

'O... O, ja.'

Zes etages hoger kwam ik op adem voor de deur van Babettes flat. De woning was zoals ik me herinnerde. Prachtig. Een enorme schuifpui bood zicht op de Vieux Port. Met in de verte Les Îles du Frioul. Het was het eerste wat je zag als je binnenkwam en zo veel schoonheid greep je bij de keel. Ik verzadigde mijn blik eraan. Een fractie van een seconde. Want de rest was niet mooi om te zien. Het hele appartement lag overhoop. Ze waren me voor geweest.

Het zweet brak me aan alle kanten uit. De hitte. De plotselinge aanwezigheid van het kwaad. Ik kon geen lucht meer krijgen. Ik ging naar de keukenkraan, draaide hem open en dronk gulzig van het stromende water.

Ik liep door de kamers. Ze waren allemaal doorzocht, zorgvuldig leek me, maar slordig achtergelaten. In de slaapkamer ging ik op Babettes bed zitten en stak nadenkend een sigaret op.

Wat ik zocht bestond niet. Babette was zo onvoorspelbaar dat zelfs een adressenboekje, als ze er hier een had laten liggen, alleen maar een dwaaltocht door een doolhof van namen, straten, steden en landen zou ontketenen. Die vent aan de telefoon had gebeld nadat hij hier was geweest. Het kon niemand anders geweest zijn dan hij. Die lui. De maffia. Haar moordenaars. Ze zochten haar en net als ik waren ze bij het begin begonnen. Haar flat. Waarschijnlijk hadden ze iets gevonden waardoor ze bij mij terecht waren gekomen. Daarna kwamen de vragen van Madame Orsini over Babette me weer in gedachten. En vervolgens haar manier van kijken. Ze waren bij haar langs geweest, dat was zeker.

Ik drukte mijn peuk uit in een afschuwelijke asbak, *Ricordo di Roma*. Madame Orsini was me een paar verklaringen schuldig. Ik liep nog een keer door de flat, alsof me dat op een lumineus idee zou brengen.

In het vertrek dat als werkkamer diende viel mijn oog op twee grote zwarte ringbanden die op de grond stonden. Ik sloeg de eerste open. Alle reportages van Babette. Per jaar gerangschikt. Daar herkende ik haar wel in. Die manier om een oeuvre op te bouwen als het ware. Een journalistiek oeuvre. Ik glimlachte. En betrapte me erop dat ik de bladzijden omsloeg, terugging in de jaren. Tot aan de die dag in maart 1988, toen ze me was komen interviewen.

Haar artikel zat erin. Een halve pagina, met in het midden mijn foto over twee kolommen.

'Controles op grond van uiterlijk zijn dagelijkse praktijk', had ik op haar eerste vraag geantwoord. 'Dat, onder andere, wakkert de opstandigheid aan onder een hele groep jongeren. Die maatschappelijk gezien de ergste problemen hebben. Door het grievende optreden van de politie wordt crimineel gedrag gerechtvaardigd en aangemoedigd. Op die manier worden mede de fundamenten gelegd voor een toestand van rebelsheid en voor de teloorgang van referentiekaders.

Sommige jongeren ontwikkelen een gevoel van almacht waardoor ze iedere vorm van autoriteit afwijzen en hun wijk hun eigen wetten willen opleggen. In hun ogen is de politie een van de symbolen van het gezag. Echter, om de criminaliteit doeltreffend te bestrijden moet de politie zich onberispelijk gedragen. Voor de jongeren uit de achterstandswijken is rapmuziek een middel geworden waarmee ze zich kunnen uitdrukken, omdat daarin meestal het vernederende gedrag van de politie aan de kaak wordt gesteld en erin wordt aangetoond dat we er nog lang niet zijn.'

Mijn chefs hadden die tirade van me niet erg op prijs gesteld. Maar ze hadden niet gezeurd. Ze kenden mijn opvattingen. Daarom hadden ze me ook tot hoofd van de wijkbrigade benoemd, aan de noordkant van Marseille. In korte tijd waren er door de politie twee enorme blunders begaan. Lahaouri Ben Mohammed, een jongen van zeventien, was bij een doodgewone identiteitscontrole neergeschoten. Het was gaan gisten in de wijk. Een paar maanden later, in februari, was het een andere jongere, Christian Dovero, de zoon van een taxichauffeur. En toen was de hele stad in rep en roer geweest. 'Een Fransman, sodeju!' was mijn superieur tekeergegaan. De rust en kalmte herstellen werd een dringende noodzaak. Nog voordat de superpolitie van het landelijk korps kwam aanzetten. Andere methoden, een ander verhaal, dat werd op het commissariaat van politie uitgebroed. Toen werd ik uit de hoed getoverd. Het wondermiddel.

Het duurde even voordat ik doorhad dat ik slechts een pion was waarmee heen en weer werd geschoven in afwachting van het moment dat de goeie ouwe methoden weer in gebruik werden genomen. Vernederingen, een harde aanpak, afranselingen. Alles wat de tevredenheid kon wekken van hen die de ratels van de openbare veiligheid lieten klepperen.

Tegenwoordig werden ze weer toegepast, die goeie ouwe methoden. Intussen stemde twintig procent van de manschappen op het Front National. De situatie in de noordelijke wijken was opnieuw gespannen. En de spanning groeide met de dag. Je hoefde 's ochtends de krant maar op te slaan. Scholen in Saint-André geplunderd, overvallen op nachtelijke doktersdiensten in La Savine of op gemeenteambtenaren in La Castellane, chauffeurs bedreigd op de nachtbus. Met, ondergronds, de enorme verbreiding in de achterstandswijken van het gebruik van heroïne, crack en al die andere rotzooi die de kinderen zodanig oppepte dat ze bravoure kregen. En ze op scherp zette. 'De twee plagen van Marseille', schreeuwden de Marseillaanse rappers van de groep IAM onophoudelijk, 'zijn heroïne en het Front National.' Iedereen die de jongeren van dichtbij meemaakte voelde dat de zaak op springen stond.

Ik had ontslag genomen en dat was niet de oplossing, dat wist ik. Maar de politie verander je niet van de ene op de andere dag, niet in Marseille noch ergens anders. Of je nu wilde of niet, politieman zijn betekende dat je deel uitmaakte van een geschiedenis. De grote razzia op de joden in juli 1942, toen ze naar het *Vél' d'Hiv'* werden gedreven. De moordpartij op de Algerijnen die in oktober 1961 in de Seine waren gegooid. Al die zaken. Waarvan de ernst pas veel later was erkend. En nog steeds niet van overheidswege. Al die zaken die invloed hadden op de dagelijkse praktijk van nogal wat agenten zodra ze te maken kregen met immigrantenjongeren.

Dat dacht ik. Lange tijd. En ik was gaan *glijen*, om de woorden van mijn collega's te gebruiken. Ik wilde te veel begrijpen. Ik wilde uitleggen. Overtuigen. 'De opbouwwerker', noemden ze me op het wijkbureau. Toen ik van mijn taken ontheven was, had ik tegen mijn chef gezegd dat het cultiveren van het subjectieve gevoel van onveiligheid, meer dan het objectieve doel, het arresteren van de daders, een gevaarlijke weg was. Er had nauwelijks een glimlach af gekund. Hij had geen boodschap meer aan me.

De tegenwoordige regering bezigde andere taal. Dat veiligheid niet alleen een kwestie was van hoeveelheid manschappen of middelen, maar een kwestie van methode. Het stelde me enigszins gerust eindelijk te horen dat veiligheid geen ideologie was. Alleen het onder ogen zien van de maatschappelijke realiteit. Maar voor mij was het te laat. Ik had de prinsemarij verlaten en ook al kon ik niets anders, ik zou nooit meer in dienst treden.

Ik haalde het artikel uit de hoes zodat ik het kon uitvouwen. Het helemaal kon lezen. Er viel een vergeeld papiertje uit. Babette had geschreven: 'Montale. Veel charme, intelligent.' Ik glimlachte. Dekselse Babette! Toen het interview was verschenen had ik haar gebeld. Om haar te bedanken dat ze mijn woorden goed had weergegeven. Ze had me uitgenodigd voor een etentje. Waarschijnlijk had ze haar eigen geheime plannetjes al gemaakt. En, waarom zou ik het ontkennen, accepteren viel me makkelijk omdat Babette zo leuk was dat je haar wel op zou willen vreten. Maar ik begreep in de verste verte niet waarom een jonge journaliste zin had om een al niet meer zo jonge smeris te verleiden.

Jawel, erkende mijn ego toen ik de foto nogmaals bekeek, jawel, hij heeft charme, die Montale. Ik trok een grimas. Het was langgeleden. Bijna tien jaar. Sindsdien waren mijn trekken grover geworden, slapper, en een paar rimpels bij mijn ooghoeken, over mijn wangen, waren dieper geworden. Hoe meer de tijd verstreek, des te meer werd ik van mijn stuk gebracht door wat ik 's ochtends in de spiegel zag. Ik werd ouder, wat normaal was, maar ik vond dat ik lelijk oud werd. Op een avond had ik het Lole gevraagd.

'Wat is dat nu weer voor verzinsel?' had ze teruggekaatst.

Ik verzon niets.

'Vind je me knap?'

Ik wist niet meer wat ze had geantwoord. Zelfs niet óf ze had geantwoord. In gedachten was ze al vertrokken. Naar een ander leven. Naar een andere man, ergens. Een ander leven dat mooi zou zijn. Een andere man die knap zou zijn.

Later had ik in een tijdschrift een foto van haar vriend gezien – zelfs in gedachten durfde ik de naam van die vent niet uit te spreken – en ik had hem knap gevonden. Slank, rijzig, een ingevallen gezicht, weerbarstige haren, lachende ogen en een mooie mond – een beetje een pruimenmondje naar mijn smaak – maar toch mooi. Het tegendeel van mij. Ik had de pest gehad aan die foto, en dat werd erger als ik me voorstelde dat Lole het ding in haar portemonnee had gestopt, in plaats van de mijne. Dat had pijn gedaan, me dat voor te stellen. Jaloezie, had ik mezelf voorgehouden, maar verafschuwde toch dat gevoel. Jaloezie, ja. En mijn hart kneep gemeen samen bij de gedachte alleen al dat Lole deze of een andere foto uit haar portemonnee kon halen om ernaar te kijken zodra hij een paar dagen of zelfs maar een paar uur weg was.

Het was een van die maffe avonden waarop, in bed, alle details buitenmaatse proporties aannemen, je niet meer kunt redeneren, begrijpen, aanvaarden. Dat had ik al een paar keer meegemaakt met andere vrouwen. Maar nooit met zo'n intens verdriet. Lole ging weg en ze nam de zin van mijn bestaan mee. Ze had de zin van mijn bestaan meegenomen.

Mijn foto staarde me aan. Ik kreeg zin in een biertje. We zijn slechts mooi in de ogen van een ander. Van degene die van je houdt. Op een dag kun je niet meer tegen de ander zeggen dat hij mooi is, omdat de liefde verdwenen is en je niet meer begeerlijk bent. Dan kun je je mooiste hemd aantrekken, je haar knippen, een snor laten staan, er zal niets veranderen. Je hebt nog recht op een 'het ga je goed' en niet langer op een zo gewenst 'je bent mooi', dat plezier en gekreukelde lakens belooft.

Ik stopte het artikel weer in het hoesje en sloot de ringband. Ik had het inmiddels snikheet. Bij de spiegel in de hal hield Sonia's lach me een ogenblik tegen. Had ik nog charme, ondanks alles? Een toekomst in de liefde? Ik trok de grimas waar ik het patent op had. Toen ging ik terug om Babettes ringbanden te pakken. Het lezen van haar werk, dacht ik, zou me afleiding geven.

'Eigenlijk wil ik toch wel een biertje', zei ik tegen Madame Orsini toen zij de deur opende.

'O.'

Dit keer waren er geen geheime boodschappen tussen ons. Haar blik was ontwijkend.

'Ik weet niet zeker of ze koud staan.'

'Dat geeft niet.'

We stonden tegenover elkaar. Ik hield de sleutels van de flat in mijn hand.

'Heeft u gevonden wat u zocht?' vroeg ze, met haar kin naar de twee dikke ringbanden wijzend.

'Misschien.'

'O.'

De stilte die volgde vulde zich met een vettige klamheid.

'Zit ze in de narigheid?' vroeg Madame Orsini uiteindelijk.

'Waarom denkt u dat?'

'De politie was hier. Daar hou ik niet van.'

'De politie?'

Weer een stilte. Even verstikkend. Ik had de smaak van de

eerste slok bier in mijn mond. Haar blik werd opnieuw ontwijkend. Met een flintertje angst erin.

'Dat is te zeggen... ja, ze lieten hun legitimatie zien.'

Ze loog.

'En ze hebben u vragen gesteld. Waar Babette was? Of u haar pasgeleden nog had gezien? Of u vrienden van haar kende in Marseille? Dat allemaal, is 't niet?'

'Dat allemaal, ja.'

'En u heeft ze mijn naam en mijn telefoonnummer gegeven.'

'Nou ja, 't was toch de politie.'

Ze had nu graag gewild dat ik wegging. De deur willen sluiten. Haar voorhoofd was nat van het zweet. Koud zweet.

'De politie, hè?'

'Ja, 'k weet niet, 'k heb een hekel aan dat gedoe. Ik ben geen conciërge. Ik doe 't om Babette te helpen. Niet omdat ze me ervoor betaalt.'

'Hebben ze u bedreigd?'

Haar blik richtte zich weer op mij. Verrast door mijn vraag was ze, Madame Orsini. Radeloos ook door wat ze liet doorschemeren. Ze hadden haar bedreigd.

'Ja.'

'Om te zorgen dat u hun mijn naam zou geven?'

'Om te zorgen dat ik de flat in de gaten zou houden... Wie er kwam en waarom. En ook dat ik de post niet meer door zou sturen. Ze zullen me iedere dag bellen, zeiden ze. En dat ik moest opnemen, voor mijn eigen bestwil.'

De telefoon rinkelde. Twee stappen bij ons vandaan. Het toestel stond op een pronktafeltje, met een kanten kleedje eronder. Madame Orsini nam op. Ik zag haar bleek worden. In paniek keek ze me aan.

'Ja. Ja. Natuurlijk.'

Ze legde een trillende hand op de hoorn.

'Zij zijn 't. Het is... 't Is voor u.'

Ze reikte me de hoorn aan.
'Ja.'
'Je bent aan 't werk gegaan, Montale. Goed zo. Maar je verdoet je tijd daar. We hebben haast, begrijp je.'
'Zak in de stront.'
'Stront happen zul jij zelf binnenkort, stomme zak!'
En hij hing op.
Madame Orsini keek me aan. Nu was ze doodsbang.
'Ga door met te doen wat ze u gevraagd hebben.'
Ik verlangde naar Sonia. De glimlach van Sonia. De ogen van Sonia. Naar haar lichaam, dat ik nog niet kende. Een waanzinnig verlangen naar haar. En om me in haar te verliezen. In haar alles te vergeten van de smeerlapperij van deze wereld die onze levens vergiftigde.
Want ik had nog een paar illusies.

# 4

## Waarin tranen de enige remedie zijn tegen de haat

Ik nam een biertje, daarna een tweede en een derde. Ik zat in de schaduw op het terras van La Samaritaine aan de haven. Er was hier altijd een beetje zeewind. Het was niet om echt te zeggen koele lucht, maar het was voldoende om niet bij iedere slok bier te druipen van het zweet. Ik voelde me best hier. Op het mooiste terras van de Vieux-Port. Het enige waarop je van 's ochtends tot 's avonds kon genieten van het zonlicht. Wie ongevoelig blijft voor het licht van Marseille, zal de stad nooit leren kennen. Hier is het licht tastbaar. Zelfs op de heetste uren. Zelfs als het je dwingt je ogen neer te slaan. Zoals vandaag.

Ik bestelde nog een biertje en stond toen op om nogmaals te proberen Sonia te bellen. Het was nu bijna acht uur en ik had elk halfuur naar haar huis gebeld, zonder succes.

Het verlangen haar weer te zien werd groter naarmate de tijd verstreek. Sonia, ik kende haar niet maar ik miste haar nu al. Wat had ze Honorine en Fonfon verteld om hen zo snel voor zich te winnen? Wat had ze mij verteld, dat ze me in deze toestand had gebracht? Hoe kon een vrouw zich zo eenvoudig in het hart van een man nestelen, alleen maar door een blik, een glimlach? Kon je het hart liefkozen zonder zelfs maar de huid aan te raken? Dat was verleiden waarschijnlijk. Doordringen in het hart van een ander, het raken zodat je eraan gehecht raakt. Sonia.

Haar telefoon rinkelde nog steeds in een lege ruimte, ik

begon er wanhopig van te worden. Ik voelde me als een verliefde puber. Onrustig. Hunkerend naar de stem van zijn vriendinnetje. Dat was ook een van de redenen dat het mobieltje zo'n succes was, overwoog ik. Verbonden te kunnen worden met degene van wie je houdt, onverschillig waar of wanneer. Haar te kunnen zeggen, ja, ik hou van je, ja, ik mis je, ja, tot vanavond. Maar zelf zag ik me niet met een mobiel en ik begreep niets van wat me met Sonia overkwam. Eerlijk gezegd herinnerde ik me niet eens meer de klank van haar stem.

Ik ging terug naar mijn tafeltje en begon me weer in de artikelen van Babette te verdiepen. Zes van haar reportages had ik al gelezen. Ze gingen allemaal over justitie, achterstandswijken, de politie. En de maffia. Met name de meest recente artikelen. In Genève had Babette voor de krant *Aujourd'hui* de persconferentie verslagen van zeven Europese rechters: Renaud Van Ruymbeke (Frankrijk), Bernard Bertossa (Zwitserland), Gherardo Colombo en Edmondo Bruti Liberati (Italië), Baltasar Garzón Real en Carlos Jiménez Villarejo (Spanje), en Benoît Dejemeppe (België). 'Zeven rechters woedend over corruptie', had ze als kop. Het artikel was van oktober 1996.

'De rechters', schreef Babette, 'zijn geërgerd over het feit dat er geen gerechtelijke samenwerking is, of dat deze door politici wordt vertraagd, dat een criminele organisatie twintig miljoen dollar kan witwassen door simpelweg een commissie van tweehonderdduizend dollar over te maken, dat drugsgelden (vijftienhonderd miljard franc per jaar) nagenoeg probleemloos het internationale circuit ingaan en voor negentig procent in de westerse economie worden geïnvesteerd.

Volgens Bernard Bertossa, procureur-generaal te Genève', vervolgde Babette, 'is het tijd een Europees strafrecht in het leven te roepen waarin niet alleen een vrij verkeer is van delinquenten en het kapitaal waarmee ze frauderen, maar ook een vrij verkeer van bewijsstukken.

Maar de rechters weten dat hun noodkreet op de schizofrene

houding van de Europese regeringen stuit. "Het moet afgelopen zijn met de fiscale paradijzen, die witwassers van zwart geld! We kunnen geen regels afkondigen en tegelijkertijd de middelen aanbieden om ze te omzeilen!", roept rechter Baltasar Garzón Real uit, van wie elke zaak die naar Gibraltar, Andorra of Monaco leidt, in de doofpot terecht komt. "Het is tegenwoordig voldoende om er Panamese brievenbusmaatschappijen tussen te plaatsen en de hoeveelheid rookgordijnen uit te breiden, en we kunnen niets doen, zelfs niet als we pertinent zeker weten dat het om drugsgelden gaat", merkt Renaud Van Ruymbeke op.'

De avond viel, maar bracht geen verkoeling. Ik had er schoon genoeg van. Van het lezen en het wachten. In dit tempo zou ik opnieuw stomdronken zijn als ik Sonia weer zag. Als ze eindelijk zo goed zou zijn de telefoon op te nemen.

Een kwartier later, weer tevergeefs.

Ik belde Hassan.

'Alles goed?' vroeg hij.

Op de achtergrond zong Ferré:

*Wanneer de machine op gang is gekomen*
*En je niet meer weet waar je bent*
*En je wacht op wat er gaat gebeuren*

'Waarom zou 't niet goed gaan?'

'Nouhou, je had 'm goed zitten vannacht.'

'Heb ik niet al te veel onzin uitgekraamd?'

''k Heb nog nooit iemand zo onverstoorbaar zien innemen.'

'Je bent een beste, Hassan!'

*En je wacht op wat er gaat gebeuren*

'Leuk meisje, hè, die Sonia?'

Zelfs Hassan bemoeide zich ermee.

'Zeker', bauwde ik hem na. 'Zeg, weet je toevallig waar ze bivakkeert?'

'Jahaa...' zei hij, terwijl hij hoorbaar een slok van het een of ander nam. 'Rue Consolat, nummer 24 of 26, dat weet ik niet meer. Maar het is even. Zeker. Oneven nummers kan ik altijd onthouden.'

Hij lachte en nam nog een slok.

'Wat drink je?'

'Bier.'

'Ik ook. En hoe heet Sonia verder?'

'De Luca.'

Italiaanse. Verdraaid. Dat was een tijd geleden. Na Babette ging ik Italiaanse vrouwen uit de weg.

'Je hebt haar vader hier een paar keer gezien. Hij is havenarbeider geweest. Attilio. Weet je wie ik bedoel? Vrij klein. Kaal.'

'Verdomd, ja! Is dat haar vader?'

'Ja.' Hij nam een nog slok. 'Zeg, als ik Sonia zie, zal ik dan tegen d'r zeggen dat je een onderzoek naar haar instelt?'

Hij lachte weer. Ik wist niet hoe laat Hassan was begonnen, maar hij was nog steeds in vorm.

'Doe dat. Oké, tot gauw weer 'ns. Ciao.'

Sonia woonde op nummer 28.

Ik drukte zachtjes op de bel van de entree. De deur ging open. Mijn hart begon te bonzen. Eerste etage, stond er op de brievenbus. Met vier treden tegelijk klom ik de trap op. Ik tikte een paar keer op de deur. De deur ging open. En werd achter me gesloten.

Er stonden twee mannen voor me. Een van de twee liet me zijn legitimatie zien.

'Politie. Wie bent u?'

'Wat doet u hier?'

Mijn hart begon weer te bonzen. Maar om een andere reden.

Ik stelde me het ergste voor. En dacht bij mezelf, ja, natuurlijk, zodra je even niet oplet, al is het maar een ogenblik, legt het leven er de plak op. Laag voor laag. Als bij een tompoes. Een laagje room, een laagje kruimeldeeg. Verkruimeld leven. Verdomde smeerlapperij. Nee, ik stelde me het ergste niet voor. Ik raadde het. Mijn hart stopte met slaan. En opnieuw rook ik de geur van de dood. Niet de geur die in mijn hoofd rondspookte, die ik op mezelf dacht te ruiken. Nee, de daadwerkelijke geur van de dood. En de geur van bloed, die er vaak mee samengaat.

'Ik vroeg u iets.'

'Montale. Fabio Montale. Ik had een afspraak met Sonia', loog ik half.

'Ik ga naar beneden, Alain', zei de andere politieman.

Hij was lijkbleek.

'Oké, Bernard. Ze zullen zo wel komen.'

'Wat is er aan de hand?' vroeg ik om mezelf gerust te stellen.

'U bent haar...' Hij bekeek me van top tot teen. Mijn leeftijd schattend. En die van Sonia. Een dikke twintig jaar verschil, moest hij concluderen. 'Haar vriend?'

'Ja. Een vriend.'

'Montale, zei u?'

Hij stond even na te denken. Zijn ogen gleden opnieuw over me heen.

'Ja. Fabio Montale.'

'Ze is dood. Vermoord.'

Mijn maag trok samen. Ik voelde hoe zich in de holte een dikke knoop vormde. Die op en neer begon te bewegen in mijn lichaam. Naar mijn keel omhoogkwam. Daar de toegang blokkeerde. Me verstikte. Ik stikte. Me sprakeloos maakte. Ik wist niets meer te zeggen. Alsof alle woorden zich in hun prehistorie hadden teruggetrokken. Diep in de grotten. Waar de mens nooit uit had moeten komen. In den beginne was het ergste. De oerschreeuw van de eerste mens. Vertwijfeld, onder het onmetelijke hemelgewelf. In het wanhopige besef dat hij, verpletterd door zo veel schoonheid, op een dag, op een dag ja, zijn broer zou doden. In den beginne waren er alle redenen om te doden. Nog voordat ze bij naam genoemd konden worden. Afgunst, jaloezie. Verlangen, angst. Geld. Macht. Haat. Haat tegen de ander. Haat tegen de wereld.

Haat.

Zin om te schreeuwen. Te brullen.

Sonia.

Haat. De knoop ging niet meer op en neer. Het bloed trok zich terug uit mijn aderen. Balde zich samen in die nu zo dikke knoop die op mijn maag drukte. Een ijzige koude overspoelde me. Haat. Met die kou zal ik moeten leven. Haat. Sonia.

'Sonia', mompelde ik.

'Gaat 't?' vroeg de agent.

'Nee.'

'Ga zitten.'

Ik ging zitten. In een stoel die ik niet kende. In een flat die ik niet kende. Bij een vrouw die ik niet kende. Die dood was. Vermoord. Sonia.

'Hoe?' vroeg ik.

De agent gaf me een sigaret.

'Bedankt', zei ik toen ik hem aanstak.

'Keel doorgesneden. Onder de douche.'

'Een sadist?'

Hij haalde zijn schouders op. Dat betekende nee. Of misschien nee. Als ze verkracht was, zou hij het gezegd hebben. Verkracht en toen vermoord. Hij had alleen vermoord gezegd.

'Ik ben ook politieman geweest. Langgeleden.'

'Montale. Ja... Ik vroeg 't me direct al af... Noordelijke wijken, niet?'

Hij gaf me een hand.

'Ik heet Béraud. Alain Béraud. U had niet alleen maar vrienden...'

'Dat weet ik. Eén maar. Loubet.'

'Loubet. Ja... Die is overgeplaatst. Een halfjaar geleden.'

'O.'

'Naar Saint-Brieuc, in de Côtes d'Armor. Niet echt een promotie.'

'Dat kan ik me voorstellen.'

'Hij had ook niet veel vrienden.'

Er loeide een politiesirene. Het team kwam eraan. Vingerafdrukken zoeken. De plaats delict fotograferen. Het lichaam. Analyse. Getuigenverklaring. Proces-verbaal. Routine. De zoveelste misdaad.

'En u?'

'Ik heb voor hem gewerkt. Een halfjaar. Dat was prettig. Hij was fatsoenlijk.'

Buiten loeide nog steeds de sirene. Hoogst waarschijnlijk kon de politiewagen geen plek vinden om te parkeren. De Rue Consolat was smal en iedereen parkeerde waar hij wilde, dat wil zeggen onverschillig waar of hoe.

Praten deed me goed. De beelden van Sonia met haar doorgesneden keel, die mijn hoofd in begonnen te stromen, duwde ik weg. Een vloed die met geen mogelijkheid te beteugelen viel. Zoals in slapeloze nachten, als je je laat overmeesteren door de film waarin je de vrouw die je liefhebt in de armen ziet van een andere man, bezig hem te zoenen, naar hem te lachen, tegen hem te zeggen ik hou van je, bezig klaar te komen en te fluisteren dat is goed, ja dat is goed. Het is hetzelfde gezicht. Dezelfde rillingen van genot. Dezelfde zuchten. Dezelfde woorden. Maar het zijn de lippen van een ander. De handen van een ander. Het geslacht van een ander.

Lole was weg.

En Sonia was dood. Vermoord.

De gapende wond, druipend van het dikke bloed, vol stolsels, op haar borsten, haar buik, dat een plasje vormde bij haar navel, dan verder druipend tussen haar dijen, op haar geslacht. De beelden waren er. Afgrijselijk als altijd. Het water van de douche dat het bloed naar het riool van de stad afvoerde...

Sonia. Waarom?

Waarom zat ik altijd aan de koude kant van het leven? Aan de ongelukszijde? Was daar een reden voor? Of was het alleen maar toeval? Misschien hield ik niet genoeg van het leven?

'Montale?'

Met een krankzinnige snelheid stapelden de vragen zich op. En daarmee alle beelden van lijken die ik in mijn hoofd had opgeslagen sinds ik agent was. Honderden lijken van onbekenden. En ook de anderen. Van wie ik had gehouden. Manu, Ugo. En Guitou, nog zo jong. En Leila. Leila, zo wonderlijk mooi. Ik was er nooit geweest om het te voorkomen. Hun dood.

Montale, altijd te laat. Altijd een stap later dan de dood. Dan het leven. De vriendschap. De liefde.

Einzelgänger, verliezer. Altijd.

En nu Sonia.

'Montale?'

En de haat.

'Ja', zei ik.

Ik zou met de boot weggaan. Naar zee. Vannacht. Vragen stellen aan de stilte. En naar de sterren spugen, zoals de eerste mens ongetwijfeld had gedaan toen hij op een avond terugkwam van de jacht en ontdekte dat zijn vrouw gekeeld was.

'We zullen uw verklaring moeten opnemen.'

'Ja... Hoe?' vroeg ik. 'Hoe... Hoe bent u het te weten gekomen?'

'Door de naschoolse opvang.'

'Hoezo, de naschoolse opvang?'

Ik haalde mijn sigaretten te voorschijn en bood Béraud er een aan. Hij bedankte. Hij trok een stoel naar zich toe en ging zitten, recht tegenover mij. Zijn stem werd minder vriendschappelijk.

'Ze heeft een kind. Enzo. Acht jaar. Wist u dat niet?'

'Ik heb haar gisteravond pas ontmoet.'

'Waar?'

'In een bar. Les Maraîchers. Daar ben ik vaste klant. Zij ook, klaarblijkelijk. Maar we hebben elkaar gisteravond pas ontmoet.'

Hij nam me aandachtig op. Ik vermoedde wat er allemaal in zijn hoofd omging. Op mijn duimpje kende ik alle overwegingen die een politieman kan maken. Een goede politieman. We hadden flink gedronken, Sonia en ik. We hadden gevrijd. En toen, nuchter geworden, wilde ze niet meer. De vergissing van een nacht. Het iets wat je niet begrijpt. De misstap in het leven van een huismoeder. Fataal. Niets bijzonders. Niets nieuws. Een misdaad. Dat ik diender was geweest, veranderde daar niets aan. Aan de krankzinnige daad. En aan het geweld.

Waarschijnlijk onbewust stak ik mijn handen naar hem uit terwijl ik zei: 'Er is niets tussen ons voorgevallen. Niets. We zouden elkaar vanavond weer ontmoeten, dat is alles.'

'Ik beschuldig u nergens van.'

'Ik wilde dat u het wist.'

Op mijn beurt nam ik hem op. Béraud. Een fatsoenlijke diender. Die het fijn had gevonden met een fatsoenlijke commissaris te werken.

'De opvang heeft dus naar de politie gebeld?'

'Nee. Ze maakten zich ongerust. Ze was altijd op tijd. Nooit te laat. Dus hebben ze de grootvader van het kind gebeld en...'

Attilio, dacht ik. Béraud pauzeerde even. Zodat ik de informatie die hij me gaf in me op kon nemen. De grootvader, niet de vader. Zijn vertrouwen was terug.

'Niet de vader?' vroeg ik.

Hij haalde zijn schouders op.

'De vader... Die hebben ze nooit gezien. De grootvader mopperde. Gisteravond had hij ook al op de jongen gepast, en vannacht zou hij ook op hem passen.'

Béraud liet een stilte vallen. Een stilte waarin Sonia en ik elkaar hervonden om dit keer samen de nacht door te brengen.

'Zij moest voor zijn eten zorgen en hem in bad doen. En...'

Hij keek me bijna teder aan.

'En?'

'Hij is de jongen op de opvang gaan halen en heeft hem mee naar zijn huis genomen. Daarna heeft hij geprobeerd zijn dochter op kantoor te bereiken. Maar ze was weg. Op de gewone tijd vertrokken. Vervolgens heeft hij hierheen gebeld, denkende dat Sonia, met deze hitte, naar huis was gegaan om een douche te nemen en dat... Tevergeefs. Toen werd hij ongerust en heeft hij de buurvrouw gebeld. Die vrouwen bewezen elkaar zo nu en dan een dienst. Toen ze kwam kloppen, stond de deur op een kier. De buurvrouw heeft ons gewaarschuwd.'

De flat vulde zich met geluid, met stemmen.

'Goedenavond, commissaris', zei Béraud terwijl hij opstond.

Ik keek op. Er stond een lange, jonge vrouw voor me. In zwarte jeans en T-shirt. Een knappe vrouw. Ik maakte me zo goed en zo kwaad als het ging los uit de leunstoel waarin ik zat.

'Is dit de getuige?' vroeg ze.

'Een oudgediende van het bureau. Fabio Montale.'

Ze gaf me een hand.

'Commissaris Pessayre.'

Haar handdruk was stevig. En haar palm warm. Hartelijk. Haar donkere ogen waren helder. Vol leven. Vol hartstocht. We bleven elkaar een fractie van een seconde aankijken. Lang genoeg om te geloven dat het justitiële apparaat de dood kon uitwissen. De misdaad.

'Vertelt u maar.'

'Ik ben moe', zei ik toen ik weer ging zitten. 'Moe.'

En er trok een waas van tranen voor mijn ogen. Eindelijk. Tranen waren de enige remedie tegen de haat.

# 5

## Waarin zelfs wat zinloos is goed kan zijn om te zeggen, en goed om te horen

Ik had niet naar de sterren gespuugd. Ik had het niet gekund.

Ter hoogte van de Îles de Riou had ik de motor afgezet en de boot laten dobberen. Ongeveer op de plek waar mijn vader mij, me vasthoudend onder mijn oksels, voor de eerste keer in zee had gedompeld. Acht was ik. Net zo oud als Enzo. 'Niet bang zijn', zei hij. 'Niet bang zijn.' Een andere doop heb ik niet gehad. En wanneer het leven me pijn deed, keerde ik steeds naar deze plek terug. Om te proberen me hier, tussen hemel en zee, met de rest van de wereld te verzoenen.

Toen Lole me had verlaten, was ik hier ook naartoe gegaan. Precies naar deze plek. Een hele nacht. Een hele nacht om op te sommen wat ik allemaal aan mezelf te wijten had. Want het moest gezegd worden. Eén keer op zijn minst. Ook al was het tegen het niets. Het was op een zestiende december. Ik was tot op het bot verkleumd. Ondanks de grote glazen Lagavulin-whisky die ik al jankend achteroversloeg. Toen ik in de ochtendschemering thuiskwam, had ik het gevoel terug te keren uit het land der doden.

Alleen. En in de stilte. Ik werd omhuld door slingers van sterren. Het gewelf dat ze in de zwartblauwe hemel tekenden. Maar ook de weerspiegeling in het water. Het enige wat bewoog was mijn boot, kabbelend op het water.

Zo zat ik daar, roerloos. Met gesloten ogen. Totdat ik voelde dat die knoop van weerzin en neerslachtigheid die me beklemde eindelijk oploste. Door de frisse wind hier kreeg mijn ademhaling weer een menselijk ritme. Bevrijd van de langdurige angst om te leven en om te sterven.

Sonia.

'Ze is dood. Vermoord', had ik hun verteld.

Fonfon en Honorine zaten rami te spelen op het terras. Het favoriete kaartspel van Honorine. En ze won altijd omdat ze graag wilde winnen. En Fonfon liet haar winnen omdat hij graag haar blijdschap om het winnen zag. Fonfon had een pastis voor zich staan. Honorine een bodempje Martini. Ze hadden naar me opgekeken. Verbaasd me zo vroeg thuis te zien komen. Ongerust, uiteraard. En ik had alleen maar gezegd: 'Ze is dood. Vermoord.'

Ik had hen aangekeken en was vervolgens met een plaid en een jack onder mijn arm en een fles Lagavulin in mijn andere hand het terras overgelopen, de trap afgegaan naar mijn boot en had me in de duisternis gestort. Zoals altijd denkend dat deze zee, me door mijn vader geschonken als een koninkrijk, me voor altijd zou ontsnappen doordat ik er steeds weer alle lage streken van de wereld en de mensen in deponeerde.

Toen ik onder de fonkelende sterren mijn ogen opende, wist ik dat daar deze keer nog geen sprake van zou zijn. Het leek alsof de wereld tot stilstand was gekomen. Het leven was opgeschort. Behalve in mijn hart waar op dit moment iemand huilde. Een kind van acht, en zijn grootvader.

Ik nam een grote slok Lagavulin. In mijn hoofd weerklonken eerst de lach en vervolgens de stem van Sonia. Alles viel weer op zijn plaats. Nauwkeurig. Haar lach. Haar stem. En haar woorden.

'Er is een plek die *l'eremo Dannunziano* wordt genoemd. Het is een mooi belvedère waar Gabriele D'Annunzio vaak verbleef...'

Ze was over Italië gaan praten. De Abruzzen, haar land. Over de kuststrook tussen Ortona en Vasto, volgens haar 'uniek in de wereld'. Ze raakte niet uitgepraat; ik had naar haar geluisterd en had haar blijdschap in mij laten stromen met hetzelfde geluksgevoel als de glazen pastis die ik zonder nadenken naar binnen goot.

'Le *Turchino*, zo heet het strand waar ik als kind de zomer heb doorgebracht. *Turchino*, naar de turkooizen kleur van het water... Het ligt er vol met strandkeien en er staat veel bamboe. Je kunt bootjes maken van de bladeren, of vishengels van de stengels, zie je...'

Ik zag het, ja. En ik voelde het. Het stromende water op mijn huid. De zachtheid ervan. En het zout. De smaak van zilte lichamen. Ja, dat zag ik allemaal, binnen het bereik van mijn hand. Zoals de naakte schouder van Sonia. Net zo rond en net zo zacht om te strelen als de keien, gepolijst door het zeewater. Sonia.

'En er is een spoorwegverbinding met Foggia...'

Haar ogen streelden de mijne. Een uitnodiging om die trein te nemen, je naar de zee te laten rijden. In de *Turchino*.

'Het leven is daar heel simpel, Fabio, het ritme wordt er bepaald door het geluid van de trein die langskomt, het geruis van de zee, de pizza's *al taglio* tussen de middag en', had ze er lachend aan toegevoegd, '*una gerla alla strasciatella per me* tegen de avond...'

Sonia.

De lach in haar stem. Haar woorden, als een golf van levensvreugde.

Na mijn negende ben ik nooit meer in Italië geweest. Mijn vader had ons, mijn moeder en mij, mee naar zijn dorp genomen. Naar Castel San Giorgio, vlak bij Salerno. Hij wilde zijn moeder in ieder geval nog één keer zien. Hij wilde dat zijn moeder het kind zag dat ik was. Dat had ik Sonia verteld. En dat ik de grootste woedeaanval van mijn leven had gekregen, omdat ik er genoeg van had elke dag 's middags en 's avonds pasta te eten.

Ze had gelachen.

'Dat wil ik nu juist graag. Mijn zoon mee naar Italië nemen. Naar Foggia. Zoals je vader dat met jou heeft gedaan.'

Ze had haar grijsblauwe ogen naar mij opgeslagen, langzaam. Als een dageraad. Ze had op mijn reactie gewacht. Sonia. Een zoon. Hoe had ik kunnen vergeten dat ze het tegen mij over haar zoon had gehad? Over Enzo. Waarom had ik me dat zelfs zojuist niet herinnerd, toen de politie me ondervroeg? Wat had ik niet willen horen toen ze had gezegd 'Mijn zoon'?

Ik had nooit een kind gewild. Van geen enkele vrouw. Uit angst dat ik niet wist hoe ik een vader moest zijn. Niet wist hoe ik moest geven, niet zozeer niet genoeg liefde, maar voldoende vertrouwen in deze wereld, in de mensen, in de toekomst. Ik zag geen enkele toekomst voor de kinderen van deze tijd. De veel te lange jaren bij de politie hadden mijn blik op de maatschappij zonder twijfel veranderd. Ik had meer kinderen gezien die aan de drugs raakten, kleine kraakjes zetten, daarna grote, en vervolgens in de bak eindigden, dan kinderen die slaagden in het leven. Zelfs degenen die graag naar school gingen, die het er goed vanaf brachten, stonden op een dag aan het eind van een doodlopende weg. En óf ze liepen met hun hoofd tegen de muur, totdat ze kapotgingen, óf ze keerden om, om zich teweer te stellen, en kwamen in opstand tegen het onrecht dat hun werd aangedaan. En ze waren weer terug bij het geweld, bij de wapens. En bij de gevangenis.

De enige vrouw van wie ik graag een kind zou hebben gehad, was Lole. Maar we zeiden tegen elkaar dat we dat niet wilden. Te oud, was ons voorwendsel. Toch, als we aan het vrijen waren, had ik vaak gehoopt dat ze, zonder het tegen me te zeggen, gestopt was met de pil. En dat ze op een goeie dag met een tedere glimlach zou vertellen: 'Ik verwacht een kind, Fabio.' Als een cadeau voor ons samen. Voor onze liefde.

Ik wist dat ik haar die wens had moeten vertellen. Haar vertellen dat ik met haar wilde trouwen. Dat ze werkelijk mijn vrouw zou zijn. Misschien zou ze nee hebben gezegd. Maar alles zou duidelijk zijn geweest tussen ons. Omdat het ja en het nee uitgewisseld zouden zijn in het eenvoudige geluk van ons leven samen. Maar ik had gezwegen. En zij ook, als vanzelfsprekend. Totdat die zwijgzaamheid ons van elkaar verwijderde, scheidde.

In plaats van te antwoorden had ik mijn glas leeggedronken en Sonia was verdergegaan: 'Zijn vader heeft me laten zitten. Vijf jaar geleden. Hij heeft nooit iets van zich laten horen.'

'Dat is hard', had ik geantwoord, voorzover ik me herinnerde.

Ze had haar schouders opgehaald.

'Als een kerel zijn kind laat vallen, zonder zich er nog om te bekommeren... Vijf jaar, zelfs niet met Kerst, zelfs niet met z'n verjaardag, nou, dan is 't beter zo. Hij zou geen goeie vader zijn geweest.'

'Maar een kind heeft een vader nodig!'

Sonia had me zwijgend aangekeken. We transpireerden uit al onze poriën. Ik erger dan zij. Haar dij, nog steeds tegen de mijne, had een vuur in mij aangewakkerd waarvan ik niet meer wist dat het bestond. Een vlammenzee.

'Ik heb hem opgevoed. Alleen. Met hulp van mijn vader. Misschien dat ik het geluk heb op een dag iemand tegen te komen die ik aan Enzo voor kan stellen. Die man zal nooit zijn vader kunnen zijn, maar ik denk dat hij hem alles kan bijbrengen wat een kind nodig heeft om op te groeien. Overwicht en tederheid. Vertrouwen. En jongensdromen. Mooie jongensdromen...'

Sonia.

Ik had haar in mijn armen willen nemen. Op dat moment. Haar tegen me aan drukken. Ze had zich rustig losgemaakt, met een lach.

'Fabio.'

'Oké, oké.'

En ik had mijn handen boven mijn hoofd gehouden, om

duidelijk te laten zien dat ik haar niet zou aanraken.

'We drinken nog een laatste glas en daarna gaan we zwemmen. Goed?'

Ik was van plan geweest haar mee te nemen op mijn boot, om op volle zee te gaan zwemmen. In het diepe water. Precies waar ik nu was. En het verbaasde me nu dat ik haar dat had voorgesteld. Ik had haar nog maar net ontmoet. Mijn boot was mijn onbewoonde eiland. Mijn isolement. Alleen Lole had ik meegenomen. De avond dat ze bij me was komen wonen. En Fonfon en Honorine, pasgeleden. Geen enkele vrouw was het ooit waard geweest om in mijn boot te stappen. Zelfs Babette niet.

'Komt eraan', had Hassan gezegd toen ik hem een teken gaf ons nog eens in te schenken.

Coltrane speelde. Ik was stomdronken, maar herkende 'Out of This World'. Veertien minuten die een hele avond langzaam konden laten wegsterven. Ik realiseerde me dat Hassan bijna ging sluiten. Altijd Coltrane om al zijn klanten te begeleiden. Naar hun geliefde. Hun eenzaamheid. Coltrane voor onderweg.

Ik kon met geen mogelijkheid van mijn stoel opstaan.

'Je bent mooi, Sonia.'

'En jij bent bezopen, Fabio.'

We waren in lachen uitgebarsten.

Het geluk. Misschien. Nog altijd.

Het geluk.

Toen ik thuiskwam rinkelde de telefoon. Tien over twee. Klootzak, dacht ik en ik ging na wie me nou op zo'n tijdstip durfde bellen. Ik nam niet op. Aan de andere kant werd opgehangen.

Stilte. Ik had geen slaap. Wel honger. In de keuken lag een briefje van Honorine. Het stond tegen een aardewerken stoofpot waarin ze haar vlees en ragouts liet sudderen. 'Het is pistou-soep. Koud is hij ook lekker. Probeer toch maar 'n beetje te eten. Heel veel liefs. Ook van Fonfon.' Op een bordje dat ernaast stond had ze wat geraspte kaas gedaan, voor het geval dat.

Er waren waarschijnlijk duizend manieren om pistou-soep te maken. In Marseille zei iedereen: 'Mijn moeder maakte 'm zo', en kookte hem dus op haar manier... De smaak was steeds anders. Afhankelijk van de groenten die je erin deed. Afhankelijk vooral van de manier waarop je eerst de knoflook en de basilicum wist te doseren, en vervolgens dat mengsel en de pulp van de tomaatjes die in het kooknat van de groente waren gedompeld.

Honorine kon de lekkerste pistou-soep van iedereen maken. Witte bonen, rode bonen, prinsessenbonen, een paar aardappelen en wat macaroni. Ze liet het de hele ochtend zachtjes koken. Daarna begon ze met de pistou. De knoflook en de basilicumblaadjes werden gekneusd in een oude houten vijzel. Dan moest je Honorine vooral niet storen. 'Ga weg, jij! Als je daar als een sul naar me staat te kijken, dan kan ik 't niet.'

Ik zette de pot op een laag vuur. Pistou-soep wordt nog lekkerder als hij een of twee keer wordt opgewarmd. Ik stak een sigaret op en schonk een bodempje rode Bandol in. Een Tempier '91. Mijn laatste fles uit dat jaar. De beste, misschien wel.

Had Sonia daarover met Honorine gepraat? Met Fonfon? Over haar leven als vrouw alleen. Van in de steek gelaten moeder. Over Enzo. Hoe had Sonia kunnen weten dat ik geen gelukkig mens was? 'Ongelukkig', had ze tegen Honorine gezegd. Ik had haar niets over Lole verteld, dat wist ik zeker. Maar ik had over mezelf gepraat, dat wel. Langdurig zelfs. Over mijn leven, vanaf de tijd dat ik uit Djibouti terug was, vanaf het moment dat ik diender was geworden.

Lole was mijn tragedie. Niet mijn ongeluk. Maar misschien was haar vertrek een gevolg van mijn manier van leven. Hoe ik over het leven dacht. Ik leefde te veel, en al veel te lang, zonder in het leven te geloven. Was ik, zonder dat ik het echt in de gaten had, geleidelijk weggegleden in een ongelukkig bestaan? Had ik, door steeds maar te denken dat de kleine dagelijkse dingen volstaan om gelukkig te worden, niet al mijn dromen opgegeven, mijn echte dromen? En tegelijkertijd, mijn toekomst? Ik had geen enkel vooruitzicht wanneer de dageraad aanbrak, zoals op dit moment. Ik was nooit met een vrachtschip naar zee geweest. Ik was nooit naar het andere eind van de wereld gegaan. Ik was hier gebleven, in Marseille. Trouw aan een verleden dat niet meer bestond. Aan mijn ouders. Aan mijn verdwenen vrienden. En met iedere nieuwe dood van weer een naaste werden mijn zolen zwaarder. Net als mijn hoofd. Gevangene van deze stad. Ik was zelfs niet naar Italië teruggegaan, naar Castel San Giorgio...

Sonia. Misschien zou ik met haar mee zijn gegaan, naar de Abruzzen. Met Enzo. Misschien zou ik haar dan – of zou het idee van haar zijn gekomen? – naar Castel San Giorgio hebben meegenomen, en zou ik ze, allebei, hebben leren houden van dat mooie land, dat ook het mijne was. Net zo van mij als deze stad waar ik geboren was.

Ik had een bord soep naar binnen gewerkt, lauw, zoals ik het lekker vind. Honorine had zichzelf weer overtroffen. Ik dronk de wijn op. Ik kon gaan slapen. Geconfronteerd worden met alle nachtmerries. De doodsbeelden die in mijn hoofd ronddansten. Als ik wakker werd, zou ik de grootvader op gaan zoeken. Attilio. En Enzo. Ik zou tegen ze zeggen: 'Ik ben de laatste die Sonia ontmoet heeft. Ik weet 't niet zeker, maar ik denk dat ze me graag mocht. En ik mocht haar ook graag.' Daar zou niemand iets mee opschieten, maar het kon geen kwaad het te zeggen, en het kon geen kwaad ernaar te luisteren.

De telefoon begon weer te rinkelen.

Woedend nam ik op.

'Val dood!' schreeuwde ik, terwijl ik alweer op wilde hangen.

'Montale', zei de stem.

Die walgelijke stem, die ik gisteren al twee keer had gehoord. Koud, ondanks zijn Italiaanse accent.

'Montale', herhaalde de stem.

'Ja.'

'Dat meisje, Sonia, dat was om 't je duidelijk te maken. Dat 't ons menens is.'

'Wat!' schreeuwde ik.

'Dit is nog maar een begin, Montale. Een begin. Je bent een beetje hardleers. En ook een beetje erg stom. We gaan door. Net zo lang tot je haar vindt, steekneus. Versta je?'

'Schoften!' brulde ik. En toen steeds harder: 'Vuile smeerlap! Klootzak! Gore teringlijer! Hufter!'

Aan de andere kant, stilte. Maar mijn gesprekspartner had niet opgehangen. Toen ik geen adem meer had, zei de stem: 'Montale, je vrienden gaan er stuk voor stuk aan. Allemaal. Stuk voor stuk. Totdat je dat Bellinivrouwtje vind. En als je niet snel weg bent als we klaar zijn, zal 't je berouwen dat je nog leeft. De keus is aan jou.'

'Oké', zei ik, helemaal leeg.

De gezichten van mijn vrienden trokken razendsnel aan mijn ogen voorbij. Tot en met die van Fonfon en Honorine. 'Nee,' huilde mijn hart, 'nee.'

'Oké', herhaalde ik heel zacht.

'Vanavond bellen we je terug.'

Hij hing op.

'Ik ga 'm vermoorden, die verdomde vuilak!' brulde ik. 'Ik ga je vermoorden! Vermoorden!'

Ik draaide me om en zag Honorine staan. Ze had de peignoir aangetrokken die ik haar met Kerstmis had gegeven. Ze hield haar handen gekruist op haar buik. Doodongerust staarde ze me aan.

'Ik dacht dat je een nachtmerrie had. Omdat je zo schreeuwde.'

'Nachtmerries bestaan alleen in het leven', antwoordde ik.
Mijn haat was terug. En daarmee de stank van de doodslucht.
Ik wist dat ik die kerel zou moeten vermoorden.

# 6

## Waarin de liefdes die je met een stad deelt vaak geheime liefdes zijn

De telefoon rinkelde. Tien over negen. Verdomme! De telefoon was in dit huis nog nooit zo vaak overgegaan. Ik nam op en verwachtte het ergste. Alleen al door die beweging brak het zweet me uit. Het werd steeds warmer. Zelfs met alle ramen open kwam er geen zuchtje wind binnen.

'Ja', zei ik slechtgehumeurd.

'Goeiemorgen, met commissaris Pessayre. Bent u 's ochtends altijd zo uit uw hum?'

Ik hield wel van die stem. Laag, een beetje slepend.

'Dat is alleen om de telemarketeers af te schrikken!'

Ze lachte. Een enigszins hese lach. Deze vrouw moest uit het zuidwesten komen. Of ergens uit die buurt.

'Kan ik u spreken? Vanochtend?'

De stem was hetzelfde. Hartelijk. Maar hij liet geen ruimte voor een weigering. Het was ja. En het moest vanochtend.

'Is er iets niet in orde?'

'Nee, nee... We hebben uw verklaring gecontroleerd. En uw tijdschema. Maakt u zich geen zorgen, u hoort niet bij de verdachten.'

'Dank u.'

'Ik heb... Laten we zeggen dat ik graag over het een en ander met u wil babbelen.'

'O!' zei ik valselijk opgewekt. 'Als dat een uitnodiging is, geen probleem.'

Ze kon er niet om lachen. En het stelde me gerust dat zij er niet was ingelopen. Deze vrouw had karakter en omdat ik niet wist welke wending de gebeurtenissen zouden nemen, kon ik maar beter weten op wie ik kon rekenen. Bij de politie, welteverstaan.

'Elf uur.'

'Op uw kantoor?'

'Ik geloof niet dat u daar graag komt, is 't wel?'

'Niet echt, nee.'

'Op het fort Saint-Jean? Dan gaan we een stukje wandelen, als u wilt.'

'Dat vind ik wel een mooie plek.'

'Ik ook.'

Ik was over de Corniche gereden. Zodat ik de zee niet uit het zicht verloor. Er zijn van die dagen dat ik niet op een andere manier naar het centrum van de stad wil gaan. Dan wil ik dat de stad naar mij toe komt. Ik verplaats me, maar hij komt naar me toe. Als ik kon, zou ik alleen via de zee naar Marseille gaan. Eenmaal de Anse de Malmousque voorbij, bezorgde het binnenvaren in de haven me altijd weer een gevoel van ontroering. Ik was Hans, de zeeman van Edouard Peisson. Of Cendrars, die terugkwam uit Panama. En anders wel Rimbaud, 'een prille engel, gisterenochtend in de haven aan wal gegaan'. Telkens werd het moment overgespeeld waarop Protis, de man uit Phocis, met verblinde ogen op de rede voor anker ging.

De stad was kristalhelder vanochtend en lag er in de roerloze lucht roze en blauw bij. Warm al, maar nog niet plakkerig. Marseille zoog het licht in. Zoals de klanten op het terras van La Samaritaine het opdronken, zorgeloos, tot aan de laatste druppel koffie onder uit hun kopje. Blauw van de daken, roze van de zee. Of omgekeerd. Tot de middag. Daarna drukte de zon een paar uur lang overal haar verpletterend gewicht op. Zowel op de schaduw als op het licht. Dan werd de stad ondoorzichtig. Wit. Dat was het moment waarop Marseille naar anijs geurde.

Ik begon trouwens dorst te krijgen. Ik had zin in een pastis, goed koud, op een terras in de schaduw. Dat van Ange, bijvoorbeeld, op de Place des Treize Coins, in de oude wijk Le Panier. Mijn oude kantine, toen ik nog bij de politie was.

'Daar heb ik leren zwemmen', vertelde ik, naar de ingang van de haven wijzend.

Ze glimlachte. Ze had zich zojuist bij me gevoegd aan de voet van het fort Saint-Jean. Gedecideerd. Een sigaret in haar mond. Net als de vorige dag droeg ze een spijkerbroek en een T-shirt. Maar nu in gebroken wit. Haar bruinrode haar had ze opgestoken in een kleine wrong. Achterin haar donkere hazelnootkleurige ogen glinsterde de spot. Je zou haar midden dertig schatten. Maar ze moest tien jaar ouder zijn, mevrouw de commissaris.

Ik wees haar de andere oever.

'Om een man te zijn, moest je heen en terug zwemmen. En net doen of je meisjes wilde versieren.'

Ze glimlachte weer. Waarbij dit keer twee grappige kuiltjes in haar wangen te voorschijn kwamen.

Voor ons maakten drie gepensioneerde echtparen, met gelooide huid, aanstalten te gaan duiken. Vaste gasten. Híér gingen ze zwemmen, niet op het strand. Waarschijnlijk uit trouw aan hun jeugd. Ugo, Manu en ik waren nog lang op deze plek komen zwemmen. Lole, die bijna nooit het water inging, bracht eten mee als ze naar ons toe kwam. Languit op de platte stenen lieten we ons opdrogen en luisterden naar haar als ze voorlas uit Saint-John Perse. Verzen uit *Exil*, haar favorieten.

*...nog menigmaal zullen we in een rouwstoet gaan, zingend van gisteren, zingend van elders, zingend van het ontluikend kwaad*
*en van de levensluister die dit jaar met de doden in ballingschap gaat.*

De gepensioneerden doken het water in – de vrouwen met een witte badmuts op – en zwommen naar de inham van het paleis Le Pharo. Crawl zonder branie, met zelfverzekerde bewegingen, beheerst. Ze hoefden niemand meer te imponeren. Ze imponeerden zichzelf.

Ik volgde ze met mijn ogen en was er in mijn hart van overtuigd dat ze elkaar hier hadden ontmoet toen ze zo'n jaar of zestien, zeventien waren. Drie goeie vrienden en drie goeie vriendinnen. En samen werden ze oud. In het simpele geluk van de zon op hun huid. Zo was het leven hier. Trouw aan de simpelste handelingen.

'Vindt u dat leuk, meisjes versieren?'

'Daar ben ik te oud voor', antwoordde ik zo serieus mogelijk.

'Meent u dat?' vroeg zij, al even serieus. 'Dat zou je niet zeggen.'

'Als u Sonia bedoelt...'

'Nee. Vanwege de manier waarop u naar me kijkt. Er zijn maar weinig mannen die zo direct zijn.'

'Ik heb een zwak voor mooie vrouwen.'

Daarop was ze in de lach geschoten. Dezelfde lach als aan de telefoon. Een gulle lach, als water dat in een vallei stroomt. Hees en warm.

'Ik ben niet wat je noemt een mooie vrouw.'

'Dat zeggen alle vrouwen, totdat ze door een man versierd worden.'

'U schijnt er verstand van te hebben.'

Ik was van mijn stuk gebracht door de wending die het gesprek had genomen. Wat loop je nou te bazelen! dacht ik bij mezelf. Ze keek me strak aan en plotseling voelde ik me links. Deze vrouw wist haar punten te scoren.

'Ik weet er wel wat van. Zullen we gaan wandelen, commissaris?'

'Hélène, alstublieft. Ja, dat vind ik een goed idee.'

We hadden langs de zee gelopen. Tot aan de uiterste punt van de voorhaven van La Joliette. Tegenover de vuurtoren Sainte-Marie. Net als ik hield zij van deze plek, vanwaar je de veerboten en de vrachtschepen kon zien binnenkomen en vertrekken. Net als ik maakte zij zich bezorgd over alle projecten die de haven betroffen. Er was één woord dat in de mond van gedeputeerden en technocraten bestorven lag. Euroméditerranée. Allemaal – zelfs degenen die hier geboren waren, zoals de huidige burgemeester – hielden ze hun ogen strak gericht op Europa. Noord-Europa vanzelfsprekend. Hoofdstad: Brussel.

Marseille had alleen een toekomst als het zijn geschiedenis vaarwel zei. Zo werd het ons uitgelegd. En als er vaak sprake was van het herontwikkelen van de haven, dan was dat alleen om nog eens te bevestigen dat de haven in zijn huidige staat afgeschreven moest worden. Het symbool van oude glorie. Zelfs de Marseillaanse havenarbeiders, toch koppige lieden, hadden ten slotte toegegeven.

De loodsen werden gesloopt. De J3 en de J4. De kades zouden opnieuw ontworpen worden. Er zouden tunnels geboord worden. Rondwegen aangelegd. Esplanades. Planologie en woonvormen werden herzien, van de Place de la Joliette tot aan La Gare Saint-Charles. En het zeelandschap zou geherstructureerd worden. Dat was het nieuwste grote idee. De nieuwste hoge prioriteit. Het zeelandschap.

Wat je in de kranten kon lezen was genoeg om welke Marseillaan dan ook in de grootste verbijstering onder te dompelen. Ging het over de honderd ligplaatsen in de vier havenbassins, dan hadden ze het over een 'magische operationaliteit'. Voor de technocraten synoniem met chaos. Laten we realistisch zijn, legden ze uit: laten we een einde maken aan 'dit in onbruik geraakte charmante en nostalgische havenlandschap'. Ik weet nog hoe ik in de lach ben geschoten toen ik op een keer in het serieuze tijdschrift *Marseille* las dat de geschiedenis van de stad 'door de wisselwerking met de buitenwereld uit zijn maatschappelijke en economische wortels het project van een bloeiend stadscentrum zal opdiepen'.

'Hier, lees dat 'ns', had ik tegen Fonfon gezegd.

'Dat jij die flauwekul koopt', zei hij toen hij me het tijdschrift teruggaf.

'Omdat het een themanummer over Le Panier is. Dat is onze geschiedenis.'

'Geschiedenis, beste jongen, die hebben we niet meer. En wat we nog aan geschiedenis overhebben, zullen ze ons in onze reet stoppen. En dan ben ik nog beleefd.'

'Proef eens.'

Ik had een witte Templier in zijn glas geschonken. Het was acht uur. We zaten op het terras van zijn café. Met vier dozijn zee-egels voor ons.

'Lekker!' zei hij, met zijn tong klakkend. 'Waar heb je die vandaan?'

'Ik heb er twee dozen van. Zes rode uit '91. Zes rode uit '92. En zes rosé en zes witte uit '95.'

Ik was bevriend geraakt met Lulu, de eigenaresse van de wijngaard, in het Plan du Castellet. Tijdens het proeven van de wijnen spraken we over literatuur. Over poëzie. Zij kende versregels van Louis Brauquier uit haar hoofd. Uit *Le Bar d'escale*. Uit *Liberté des mers*.

*Ik ben nog ver en verstout mij flink te zijn,*
*Maar ooit tornen wij op*
*Tegen de wind die jij stuurt...*

Hadden zij Brauquier gelezen, die technocraten uit Parijs? En hun landschapsadviseurs? En hadden ze Gabriel Audisio gelezen? En Toursky? En Gérald Neveu? Wisten ze dat een waagmeester genaamd Jean Ballard in 1943 het mooiste literaire tijdschrift van deze eeuw had opgericht, en dat Marseille op alle schepen in de wereld, in alle havens van de wereld, meer had geschitterd met *Les Cahiers du Sud* dan met zijn handel in koopwaar?

'Om terug te komen op de flauwekul die ze daar schrijven', was Fonfon verdergegaan, 'zal ik je eens wat zeggen. Als ze tegen je over het bloeiende stadscentrum beginnen te leuteren, kun je er zeker van zijn dat iedereen eruit moet. Wegwezen! De Arabieren, de Comoren, de zwarten! Iedereen die niet in het plaatje past. De werklozen, de armen... Opdonderen!'

Mijn oude vriend Mavros, die in de buurt van Saint-Antoine een boksschool bezat en daar een armoedig bestaan aan overhield, zei ongeveer hetzelfde: 'Altijd als iemand het met je over rijkdom heeft, en over vertrouwen en eer en je kijkt over je schouder, dan kun je er bijna zeker van zijn dat je op het punt staat genaaid te worden door een of andere lul die achter je staat.' Ik kon me niet bij die beweringen aansluiten en Mavros en ik scholden elkaar verrot over dat onderwerp.

'Je overdrijft, Fonfon.'

'Ja, best. Schenk me nog maar 'ns in, dan klets je tenminste niet uit je nek.'

Hélène Pessayre vreesde hetzelfde omtrent de toekomst van de Marseillaanse haven.

'Weet je', zei ze, 'het zuiden, de Middellandse Zee... We hebben geen enkele kans. Wij horen tot wat de technocraten "de gevaarlijke klasse" van morgen noemen.'

Ze deed haar tas open en gaf me een boek.

'Heb je dat gelezen?'

Het was een boek van Susan George en Fabrizio Sabelli. *Krediet zonder grenzen, de seculiere religie van de Wereldbank.*

'Is het interessant?'

'Boeiend. Er wordt op een simpele manier uitgelegd dat met het einde van de koude oorlog en de zorg van het Westen om het Oostblok te integreren – grotendeels ten koste van de derde wereld – de mythe van de gevaarlijke klassen een andere inhoud krijgt en wordt geprojecteerd op het zuiden, en op de migranten die van het zuiden naar het noorden komen.'

We waren op een stenen bank gaan zitten. Naast een oude Arabier die leek te slapen, een vage glimlach op zijn lippen. Wat verderop zaten twee vissers, waarschijnlijk werklozen of bijstandtrekkers, op de rotsen naar hun hengel te staren.

Voor ons, de open zee. Het oneindige blauw van de wereld.

'Voor Noord-Europa is het zuiden per definitie chaotisch, radicaal anders. Verontrustend dus. Ik denk, althans, ik ben het met de schrijvers van dit boek eens, dat de noordelijke staten zullen reageren door een moderne *mark* in te stellen. Weet je wel, als een herinnering aan de grens tussen het Romeinse Rijk en de barbaren.'

Ik floot tussen mijn tanden. Ik wist zeker dat Fonfon en Mavros deze vrouw graag zouden mogen.

'We zullen deze nieuwe representatie van de wereld duur moeten betalen. Met wij bedoel ik iedereen die geen werk meer heeft, die dicht bij de armoedegrens zit, en ook alle kinderen, uit de noordelijke wijken, uit de volkswijken, die je in de stad ziet rondhangen.'

'Ik dacht dat ik pessimistisch was', zei ik lachend.

'Met pessimisme kom je niet ver, Montale. Die nieuwe wereld is gesloten. Af, geordend, stabiel. En wij hebben er geen plaats meer in. Er heerst een nieuwe gedachte. Joods-christelijk-Grieks-democratisch. Met een nieuwe mythe. De nieuwe barbaren. Wij. En wij zijn talrijk, ongedisciplineerd, nomaden. En verder eigenmachtig, fanaat, gewelddadig. En natuurlijk ook behoeftig. Het recht en de rede bevinden zich aan de andere kant van de grens. Net als de rijkdom.'

Een waas van treurigheid trok over haar ogen. Ze haalde haar schouders op, ging toen staan. Met haar handen diep weggestopt in de zakken van haar spijkerbroek liep ze naar de rand van het water. Daar bleef ze zwijgend staan, haar ogen verloren in de verte. Ik voegde me bij haar. Ze wees naar de zee.

'Hierlangs ben ik de eerste keer naar Marseille gekomen. Over de zee. Ik was zes jaar. Nooit ben ik de schoonheid vergeten van deze stad in de vroege morgen. Algiers ben ik ook nooit vergeten. Maar ik ben er nooit teruggeweest. Ken je Algiers?'

'Nee, ik heb niet veel gereisd.'

'Ik ben er geboren. Ik heb er jaren voor moeten knokken om hiernaartoe, naar Marseille, overgeplaatst te worden. Marseille is Algiers niet. Maar vanaf dit punt lijkt het net of ik de haven daarginds kan zien. Ook ik heb leren zwemmen door boven van een kade in het water te springen. Om indruk te maken op de jongens. Op de boeien in zee gingen we uitrusten. De jongens zwommen om ons heen en schreeuwden tegen elkaar: "Hé! Heb je dat mooie vogeltje gezien?" We waren allemaal mooie vogeltjes.'

Ze keerde zich naar me toe en haar ogen schitterden van een voorbij geluk.

*'De liefdes die je met een stad deelt...'* begon ik.

*'Zijn vaak geheime liefdes',* maakte zij de zin glimlachend af. 'Ik hou ook van Camus.'

Ik gaf haar een sigaret en hield haar het vlammetje van mijn aansteker voor. Ze inhaleerde de rook en blies die langzaam weer uit, met haar hoofd achterover. Daarna keek ze me weer met een strakke blik aan. Ik bedacht dat ik nu eindelijk te weten zou komen waarom ze me vanochtend wilde spreken.

'Maar je hebt me niet helemaal hiernaartoe laten komen om daarover te praten, neem ik aan?'

'Dat klopt, Montale. Ik wil dat je me over de maffia vertelt.'

'De maffia!'

Haar blik werd scherp. Hélène was weer commissaris Pessayre geworden.

'Wil je iets drinken?' vroeg ze.

# 7

## Waarin sprake is van fouten die te gruwelijk zijn voor wroeging

Ange omhelsde me.

'Man, ik begon al te denken dat je nooit meer langs zou komen!'

Hij gaf me een knipoogje toen hij Hélène onder de schitterende platanen op het terras plaats zag nemen.

'Knappe vrouw is dat, schurk!'

'En commissaris.'

'Je liegt 't!'

'Echt waar. Zo zie je,' voegde ik er lachend aan toe, 'ik breng je nieuwe klanten aan.'

'Je bent een mafkees! Eerlijk.'

Hélène bestelde een cocktail, een mauresque. Ik een pastis.

'Eten jullie hier?' vroeg Ange.

Ik keek Hélène vragend aan. Misschien gingen de vragen die ze me wilde stellen niet samen met het eenvoudige maar altijd smakelijke dagmenu dat Ange samenstelde.

'Ik heb ponen', deelde hij mee. 'Ze zijn prachtig. Even onder de grill, met gemengde groente erbij. Vooraf heb ik een feuilleté van sardines, vers natuurlijk. Met deze warmte is er niks lekkerder dan vis!'

'Goed', zei ze.

'Heb je nog altijd die rosé uit Le Puy-Sainte-Réparade?'

'Wat dacht je! Ik zal jullie alvast een karaf brengen.'

We toastten. Ik had het gevoel dat ik deze vrouw al mijn hele leven kende. Van meet af aan was er vertrouwelijkheid tussen ons. Vanaf haar handdruk, gisteravond. En ons gesprek bij de zee had dat alleen maar versterkt.

Ik wist niet wat me overkwam. Maar binnen twee dagen waren twee totaal van elkaar verschillende vrouwen erin geslaagd in mijn hart door te dringen. Sinds het vertrek van Lole had ik me waarschijnlijk te veel van de liefde en de vrouwen afgewend. Sonia had de deur naar mijn hart opengezet en nu trad iedereen binnen die wilde. Nou ja, niet iedereen. Ik wist zeker dat Hélène Pessayre lang niet iedereen was.

'Ik luister', zei ik.

'Ik heb over je gelezen. Op het bureau. Officiële rapporten. Je bent tweemaal betrokken geweest bij zaken die met de maffia te maken hadden. De eerste keer, na de dood van je vriend Ugo, bij de oorlog waarin Zucca en Batisti tegenover elkaar stonden. De tweede keer vanwege een moordenaar, Narni, die in Marseille de boel schoon kwam vegen.'

'En die een kind van zestien overhoop had geschoten. Dat weet ik, ja. Toeval. En wat zou dat?'

'Driemaal is scheepsrecht, zeggen ze toch?'

'Ik begrijp 't niet', zei ik schaapachtig, zonder me al te idioot voor te doen.

Want ik begreep het maar al te goed. En ik vroeg me af hoe zij zo snel een dergelijke hypothese in elkaar had kunnen zetten. Ze keek me streng aan.

'Je vindt het leuk om te doen of je gek bent, nietwaar, Montale?'

'Waarom denk je dat? Alleen maar omdat ik je toespeling niet begrijp?'

'Montale, Sonia is niet door een sadist vermoord. En ook niet door een psychisch gestoorde of een maniak die iemand over de kling wil jagen.'

'Haar man, misschien', zei ik zo onschuldig mogelijk. 'Ik bedoel, de vader van haar kind.'

'Natuurlijk, natuurlijk...'

Haar ogen zochten de mijne, maar ik hield ze op mijn glas gericht. Ik leegde het in één keer om me zoiets als een houding te geven.

'Nog een cocktail?' stelde ik voor.

'Nee, dank je.'

'Ange!' riep ik, 'heb je nog een pastis voor me?'

Zodra hij me weer had ingeschonken, ging ze verder: 'Ik merk dat je de gewoonte om kulverhalen op te dissen niet bent afgeleerd.'

'Luister, Hélène...'

'Commissaris. Het is de commissaris die je vragen stelt. In het kader van een onderzoek naar een moord. Die van een vrouw, Sonia de Luca. Moeder van een kind van acht. Alleenstaand. Vierendertig jaar. Vierendertig jaar, Montale. Net zo oud als ik.'

Ze was gaandeweg harder gaan praten.

'Dat weet ik. En dat die vrouw me in één avond voor zich heeft weten te winnen. En mijn twee liefste buren door vijf minuten met ze te praten. Omdat het, ongetwijfeld, een geweldige vrouw moest zijn.'

'En wat weet je nog meer?'

'Niks.'

'Verdomme!' schreeuwde ze.

Ange zette de feuilletés van sardines voor ons neer. Hij keek ons om de beurt aan.

'Smakelijk eten', zei hij.

'Bedankt.'

'En als-ie lastig is, roept u me maar.'

Ze glimlachte.

'Smakelijk eten', durfde ik op mijn beurt te zeggen.

'Ook zo.'

Ze nam een hap en legde toen haar mes en vork weer neer.

'Montale, ik heb vanochtend een tijdlang met Loubet gesproken aan de telefoon. Voordat ik je belde.'

'Ah, ja. Hoe gaat 't met hem?'

'Zo goed als het kan gaan met iemand die op een zijspoor is gezet. Je moet je dat voor kunnen stellen. Hij zou het trouwens fijn vinden 'ns wat van je te horen.'

'Ja. Dat is waar, het is niet aardig van me. Ik zal 'm bellen. En verder? Wat heeft hij je over me verteld?'

'Dat je een lastpost bent, dat vertelde hij. Een prima vent, fatsoenlijk maar een lastpost eersteklas. In staat informatie achter te houden voor de politie, alleen maar om een voorsprong op ze te kunnen krijgen en je zaakjes zelf te regelen. Als een grote jongen.'

'Hij is een beste, die Loubet.'

'En als je eindelijk zo goed wilt zijn om te praten, dan is de rotzooi altijd groter dan ooit.'

'O ja?' wond ik me op.

Want Loubet had natuurlijk gelijk. Maar ik was koppig. En ik had geen vertrouwen meer in de politie. De racisten, de corruptelingen. En dan de anderen, van wie de enige moraal was carrière te maken. Loubet was een uitzondering. Dienders als hij kon je in iedere stad op de tien vingers van je twee handen tellen. De uitzondering die de regel bevestigde. Onze politie was republikeins.

Ik keek Hélène in de ogen. Maar ik las er geen spot meer in, noch de nostalgie van een gelukkig verleden. Zelfs niet die vrouwelijke zachtheid waar ik een glimp van had opgevangen.

'Dat neemt niet weg', ging ik verder, 'de lijken, de miskleunen, de fouten, de willekeur, de afranselingen... die vind je altijd aan jullie kant, nietwaar? Ik heb geen bloed aan mijn handen.'

'Ik ook niet, Montale! En Loubet ook niet, voorzover ik weet. Hou ermee op! Wat wil je eigenlijk? Voor Superman spelen? Je laten vermoorden?'

In een flits zag ik een aantal van de gruwelijke doden die de maffia op zijn geweten had. Een van hen, Giovanni Brusca, had met zijn blote handen een kind van elf gewurgd. De zoon van Santino di Matteo, een spijtoptant, oudgediende van de Corleone-clan. Daarna had Brusca het lichaam van de jongen in een bad met zuur gegooid. De moordenaar van Sonia moest uit deze school afkomstig zijn.

'Misschien', mompelde ik. 'Wat kan jou dat schelen?'

'Het kan me wel schelen.'

Ze beet op haar onderlip. De woorden waren haar ontglipt. Er liep een rilling over mijn rug die ik snel vergat en ik bedacht dat ik misschien een kans had in deze discussie opnieuw de overhand te krijgen. Want, commissaris of niet, ik was absoluut niet van plan haar over de maffia te vertellen, deze Hélène Pessayre. Over dat absurde toeval dat Sonia het leven had gekost. En ook niet over de telefoontjes van de moordenaar. En nog minder over de vlucht van Babette. Wat betreft Babette in ieder geval niet nu.

Nee, ze konden me niet meer veranderen. En ik zou te werk gaan als altijd. Zoals ik dacht dat het moest. Sinds vannacht, sinds die teringhufter had gebeld, bekeek ik de dingen heel simpel. Ik zou een afspraak maken met die kerel, die moordenaar, en ik zou een heel magazijn in zijn pens leegschieten. Bij verrassing. Hoe zou hij zich kunnen voorstellen dat een idioot als ik met een pistool zou kunnen dreigen en hem neerknallen? Alle moordenaars dachten dat ze de besten waren, de slimsten. Uitstegen boven de stoet middelmatigen. Het zou niets veranderen aan de puinzooi waar Babette in verzeild was geraakt. Maar het zou de pijn in mijn hart verzachten.

Toen ik gistermiddag vertrok, was ik ervan overtuigd dat ik Sonia mee naar huis zou nemen. We zouden op mijn terras ontbeten hebben en zijn gaan zwemmen in zee; en Honorine zou ons suggesties zijn komen doen voor het middageten, en voor 's avonds. En 's avonds zouden we dan met zijn vieren hebben gegeten.

Een idyllische voorstelling. Zo was ik altijd omgegaan met

de werkelijkheid. Met proberen haar naar het niveau van mijn dromen te tillen. Op ooghoogte. Op manshoogte. Van het geluk. Maar de werkelijkheid was als het riet. Ze boog, maar brak nooit. Achter de illusie profileerde zich altijd de smeerlapperij van de mens. En de dood. De dood die op iedereen het oog heeft.

Ik had nooit gedood. Nu voelde ik me er echter toe in staat. Te doden. Of te sterven. Te doden en te sterven. Want doden is ook sterven. Ik had niets meer te verliezen, nu. Ik had Lole verloren. Ik had Sonia verloren. Tweemaal geluk. Het een gekend, het ander bespeurd. Precies hetzelfde. Alle liefdes volgen dezelfde weg en ontdekken die weg opnieuw. Lole had onze liefde in een andere liefde opnieuw ontdekt. Met Sonia zou ik Lole opnieuw hebben kunnen ontdekken. Misschien.

Alles was me onverschillig.

Ik dacht aan het gedicht van Cesare Pavese: 'De dood zal komen en jouw ogen hebben'.

De ogen van de liefde.

*Het zal zijn als het staken van een ondeugd*
*Als het plotseling in de spiegel zien*
*van een dood gezicht,*
*Als het luisteren naar gesloten lippen.*
*Stom zullen wij afdalen in de kloof*

Fonfon en Honorine zouden het me natuurlijk niet vergeven als ik dood zou gaan. Maar ze zouden me allebei overleven. Ze hadden van liefde geleefd. Van tederheid. Van trouw. Ze hadden ervan geleefd en zouden er nog langer van leven. Hun leven was niet mislukt. Ik... Per slot van rekening, sprak ik mezelf toe, is de enige manier om je dood zin te geven een zekere dankbaarheid te voelen voor alles wat er daarvoor is gebeurd.

En dankbaarheid had ik in overvloed.

'Montale.'

Haar stem was nu zacht.

'Montale. Sonia is door een beroeps vermoord.'

Rustig slaagde Hélène Pessayre erin me te vertellen wat ze me wilde vertellen.

'Het is wel duidelijk wie haar vermoord heeft. Alleen de maffia snijdt op die manier de keel van mensen door. Van rechts naar links.'

'Wat weet jij daarvan?' vroeg ik terneergeslagen.

De poon arriveerde en bracht weer iets van het echte leven terug op onze tafel.

'Heerlijk', zei ze nadat ze een hap had genomen. 'Ik weet het. Ik heb mijn rechtenscriptie over de maffia gedaan. Het obsedeert me.'

Babettes naam lag op mijn lippen. Ook zij was volkomen geobsedeerd door de maffia. Ik had Hélène Pessayre kunnen vragen waar die obsessie vandaan kwam. Proberen te begrijpen wat haar had bewogen haar jeugd op te offeren om het raderwerk van de maffia te ontleden. Proberen te begrijpen ook hoe Babette zover in dit netwerk verstrikt was geraakt dat haar leven nu in gevaar was. Het hare en dat van vele anderen. Ik deed het niet. Wat ik vermoedde vervulde me met afgrijzen. De fascinatie voor de dood. Voor de misdaad. Voor de georganiseerde misdaad. Ik wond me liever op.

'Wie ben je eigenlijk? Waar kom je vandaan? Waar denk je te komen met je vragen en je veronderstellingen? Nou? Op een heel ver zijspoor, net als Loubet?'

Er rees een ingehouden woede in me op. De woede die me beklemde als ik dacht aan al die menselijke smeerlapperij.

'Heb je niks anders uit te vreten in 't leven? Dan een beetje in de stront zitten te roeren? En je mooie ogen te bederven met het kijken naar bloederige lijken? Nou? Heb je geen man voor wie je thuis moet blijven? Geen kinderen die je moet opvoeden? Is dat jouw leven, te kunnen herkennen dat de ene keel door de maffia is afgesneden en de andere door een seksmaniak? Is dat 't?'

'Ja, dat is mijn leven. En anders niks.'

Ze legde haar hand op de mijne. Alsof ik haar geliefde was. Alsof ze zou gaan zeggen: 'Ik hou van je.'

Nee, ik kon haar niet vertellen wat ik wist, nog niet, nee. Eerst moest ik Babette opsporen. Verder niets. Dat legde ik mijzelf op, als een periode van leugens. Ik zou Babette vinden, we zouden praten en daarna zou ik Hélène Pessayre het hele verhaal vertellen, niet eerder. Nee, eerst zou ik die kerel koud maken. Die hoerenzoon die Sonia had vermoord.

Hélènes ogen tastten de mijne af. Deze vrouw was buitengewoon. Maar nu begon ze me bang te maken. Bang om wat zij me kon laten vertellen. Bang ook om wat zij kon doen.

Ze zei niet ik hou van je. Ze zei simpelweg: 'Loubet heeft gelijk.'

'Wat heeft Loubet nog meer over me verteld?'

'Dat je gevoelig bent. Overgevoelig zelfs. Je bent te romantisch, Montale.'

Ze haalde haar hand van de mijne en ik onderging de ware sensatie van wat de leegte was. De afgrond. Haar hand ver van de mijne. Een duizeling. Ik ging springen. Haar alles bekennen. Nee. Eerst zou ik die verdomde moordenaar afmaken.

'Nou?' vroeg ze.

Voor alles, hem vermoorden, ja.

Mijn haat ontladen in zijn pens.

Sonia.

En al die haat in mij. Die mij vanbinnen pantserde.

'Wat nou?' vroeg ik zo laconiek mogelijk.

'Heb je problemen met de maffia?'

'Wanneer wordt Sonia begraven?'

'Wanneer ik de overlijdensakte teken.'

'En wanneer denk je dat te doen?'

'Wanneer je mijn vraag hebt beantwoord.'

'Nee!'
'Jawel.'
Onze blikken tartten elkaar. Felheid tegenover felheid. Waarheid tegenover waarheid. Gerechtigheid tegenover gerechtigheid. Maar ik had een voorsprong op haar. Die haat. Mijn haat. Voor de eerste keer. Ik vertrok geen spier.
'Ik kan je geen antwoord geven. Ik heb duizenden vijanden. In de noordelijke wijken. In de bajes. Bij de politie. En bij de maffia.'
'Jammer, Montale.'
'Jammer waarvoor?'
'Je weet dat er vergissingen bestaan die te gruwelijk zijn voor wroeging.'
'Waarom zou ik wroeging moeten hebben?'
'Als Sonia gedood is door jouw schuld.'
Mijn hart maakte een sprong. Alsof het wilde ontsnappen, mijn lichaam wilde verlaten, wegvliegen. Ergens naartoe gaan waar vrede heerste. Als die bestond. Hélène Pessayre legde precies de vinger op de zere plek. Want daar liep ik over te piekeren. Precies daarover. Sonia was dood vanwege mij. Vanwege de aantrekkingskracht die ze die avond op mij had gehad. Ik had haar onder het mes van een moordenaar gegooid. Ik had haar net ontmoet. En zij hadden gemoord zodat ik zou begrijpen dat het ze menens was. De eerste van de lijst. In hun koude logica bestond er een rangorde van gevoelens. Sonia stond onder aan de ladder. Honorine helemaal bovenaan, met Fonfon op de trede eronder.
Ik moest Babette vinden. Zo snel mogelijk. En, door op mezelf in te praten, mezelf ervan weerhouden haar onmiddellijk te wurgen.
Hélène Pessayre stond op.
'Ze was even oud als ik, Montale. Ik zal het je niet vergeven.'
'Wat bedoel je?'
'Als je tegen me gelogen hebt.'

Een leugenaar, dat was ik. Zou ik een leugenaar blijven?

Ze vertrok. Met haar gedecideerde pas, richting buffet. Haar portemonnee in de hand. Om haar maaltijd te betalen. Ik was opgestaan. Ange keek me aan, zonder er iets van te begrijpen.

'Hélène.'

Ze draaide zich om. Zo kwiek als een jonge meid. En een fractie van een seconde zag ik het meisje voor me dat ze in Algiers geweest moest zijn. De zomer in Algiers. Een mooi vogeltje. Trots. Vrij. Ik zag ook haar jonge gebruinde lichaam voor me, en de tekening van haar spieren op het moment dat ze in het water van de haven sprong. En de blikken van de mannen die op haar waren gericht.

Zoals de mijne nu. Twintig jaar later.

Er kwam verder geen woord meer uit mijn mond. Ik stond daar maar naar haar te kijken.

'Tot ziens', zei ik.

'Waarschijnlijk wel', antwoordde ze triest. 'Tot kijk.'

# 8

## Waarin je kunt vergeven wat je kunt begrijpen

Georges Mavros stond op me te wachten. Hij was de enige vriend die ik nog had. De laatste vriend van mijn generatie. Ugo en Manu waren dood. De anderen waren god mag weten waar gebleven. Waar ze werk hadden gevonden. Waar ze dachten te kunnen slagen. Waar ze een vrouw hadden leren kennen. Merendeels in Parijs. Soms belde er iemand op. Om iets van zich te laten horen. Om tussen twee treinen, twee vliegtuigen, twee boten in met zijn gezin langs te komen. Voor een kleine maaltijd, 's middags of 's avonds. Voor hen was Marseille niet meer dan een doorgangsstad. Een tussenstop. Maar in de loop der jaren kwamen de telefoontjes met langere tussenpozen. Het leven slokte de vriendschap op. Werkloosheid voor de een, scheiding voor een ander. Degenen die ik uit mijn geheugen en uit mijn adressenboekje had gewist vanwege hun sympathie voor het Front National niet meegerekend.

Als je op een bepaalde leeftijd bent gekomen, maak je geen vrienden meer. Alleen nog kennissen. Mensen met wie het gezellig is feest te vieren, een potje te kaarten of een spelletje jeu de boules te spelen. Zo vergleden de jaren. Met hen. Van de ene verjaardag in de andere. Avonden met drank en eten. Met dansen. De kinderen werden groot. Ze brachten hun vriendinnetjes mee, opwindende meiden, die de vaders verleidden en de vrienden van hun vrienden. Spelend met hun verlangen zoals alleen jonge mensen tussen de vijftien en de achttien dat kunnen. Meestal vertelden de andere stelletjes elkaar bij een drankje de roddels over de ontrouw van deze of gene. Ook zag je stelletjes voor de duur van een avond uit elkaar gaan.

Op een van die avonden was Mavros Pascale kwijtgeraakt. Drie jaar geleden, aan het eind van de zomer, bij Marie en Pierre. Die hadden een schitterend huis in Malmousque, aan de Rue de la Douane, en ze vonden het heerlijk om gasten te ontvangen. Ik was erg op Marie en Pierre gesteld.

Lole en ik hadden zojuist een reeks fantastische salsa's achterelkaar gedanst. Juan Luis Guerra, Arturo Sandoval, Irakere, Tito Puente. We waren gestopt bij het magnifieke 'Benedición' van Ray Barretto, buiten adem, en tamelijk opgewonden omdat onze lichamen zo'n lange tijd tegen elkaar aangedrukt waren geweest.

Mavros stond tegen een muur, alleen, met een glas champagne in zijn hand. Star.

'Alles goed?' had ik hem gevraagd.

Hij had zijn glas naar me geheven als om te toasten, en hij had het leeggedronken.

'Kan niet beter.'

En hij was een nieuw glas gaan halen. Hij bezatte zich met overgave. Ik had zijn blik gevolgd. Pascale, sinds vijf jaar zijn vriendin, stond aan de andere kant van het vertrek. In hevige discussie met haar oude vriendin Joëlle en met Benoît, een fotograaf uit Marseille die je zo hier en daar op dit soort feesten tegenkwam. Van tijd tot tijd kwam er iemand langs, mengde zich in de discussie en liep weer verder.

Ik was even naar die drie blijven kijken. Pascale zag ik en profil. Ze was constant aan het woord, met de snelheid die ze kon hebben als ze voor iets of iemand warmliep. Benoît stond dicht bij haar. Zo dicht dat zijn schouder op die van Pascale leek te steunen. Af en toe legde Benoît zijn hand op de rugleuning van een stoel en legde Pascale haar hand, nadat ze haar haren naar achteren had gestreken, vlak bij de zijne, maar zonder hem aan te raken. Ze stonden elkaar te verleiden, dat was duidelijk. En ik vroeg me af of Joëlle in de gaten had wat zich onder haar ogen afspeelde.

Mavros, die brandde van verlangen om zich bij hen te voegen, verroerde zich niet en bleef in zijn eentje staan drinken. Met een wanhopige overgave. Op een gegeven moment liet Pascale Joëlle en Benoît alleen, waarschijnlijk om naar de wc te gaan, en liep voor hem langs zonder naar hem te kijken. Toen ze terugkwam en hem eindelijk zag staan, liep ze naar hem toe en vroeg glimlachend, op lieve toon: 'Hé, alles goed?'

'Ik besta zeker niet meer?' gaf hij als antwoord.

'Waarom zeg je dat?'

'Al een uur lang sta ik naar je te kijken en kom ik m'n glas vullen, naast je, en je hebt zelfs niet naar me gekeken. Alsof ik niet meer bestond. Is dat zo?'

Pascale gaf hem geen antwoord. Ze draaide hem haar rug toe en liep weer naar de toiletten. Om te huilen. Want het was waar, hij bestond niet meer voor haar. In haar hart. Maar ze had het zichzelf nog niet willen toegeven. Totdat ze het Mavros expliciet hoorde zeggen.

Een maand later ging Pascale vreemd. Mavros was voor twee dagen in Limoges om de details van een bokswedstrijd te regelen die hij voor een van zijn pupillen op touw had gezet. Hij belde Pascale de hele avond. Ongerust. Bang dat haar iets was overkomen. Een ongeluk. Een overval. Het antwoordapparaat, dat hij op afstand afluisterde, stond vol met zijn boodschappen. De volgende dag had Pascale achter al de zijne ook een boodschap ingesproken: 'Er is me niets overkomen. Ik lig niet in het ziekenhuis. Er is niks ernstigs gebeurd. Ik ben vannacht niet thuis geweest. Ik ben op kantoor. Bel me, als je wilt.'

Toen Pascale was vertrokken, hadden Mavros en ik een paar nachten samen doorgebracht. Met drinken, met praten over het verleden, het leven, de liefde, de vrouwen. Mavros voelde zich ellendig en het lukte me niet hem zijn zelfvertrouwen weer terug te laten vinden.

Nu woonde hij alleen.

'Weet je, soms werd ik 's nachts wakker en keek ik, in het licht dat door de luiken viel, urenlang naar Pascale die lag te slapen. Vaak lag ze op haar zij, haar gezicht naar mij toegekeerd en een hand onder haar wang. En dan dacht ik: ze is veel mooier dan vroeger. Zachter. Haar gezicht maakte me 's nachts gelukkig, Fabio.'

Het gezicht van Lole maakte mij ook gelukkig. Boven alles hield ik van de ochtenden. Het ontwaken. Mijn lippen op haar voorhoofd, dan mijn hand over haar wang laten glijden, in haar hals. Totdat ze haar arm uitstrekte, haar hand in mijn nek legde en me naar haar lippen trok. Dat was altijd een goede dag om lief te hebben.

'Alle scheidingen zijn hetzelfde, Georges', vertelde ik hem, toen hij me belde nadat Lole was weggegaan. 'Iedereen lijdt. Iedereen heeft pijn.'

Mavros was de enige die me belde. Een echte vriend. Op die dag had ik een streep getrokken onder alle kennissen. En hun feesten. Dat had ik eerder moeten doen. Want ook Mavros hadden ze gaandeweg laten vallen door hem niet meer uit te nodigen. Pascale mochten ze allemaal graag. Benoît ook. En allemaal hielden ze van gelukkige verhalen. Dat gaf minder problemen in het dagelijks leven. Dan hoefden ze er ook niet over na te denken dat het hun ook kon gebeuren. Op een dag.

'Dat is zo', had hij gezegd. 'Behalve als je van iemand anders houdt, dan heb je een schouder om je hoofd op te leggen, heb je een hand die je wang streelt, en... Weet je Fabio, de nieuwe begeerte vervreemdt je van het verdriet van degene die je verlaat.'

'Dat weet ik niet.'

'Ik wel.'

Hij was nog steeds prikkelbaar over het vertrek van Pascale. Net als ik over dat van Lole. Maar ik probeerde zin te geven aan Loles beslissing. Omdat alles natuurlijk een zin had. Lole had me niet zomaar verlaten. In zeker opzicht begreep ik tegenwoordig te veel dingen en wat ik kon begrijpen, kon ik ook vergeven.

'Zullen we een partijtje boksen?'

De bokszaal was niet veranderd. Hij was nog altijd even netjes. Alleen de affiches aan de muur waren vergeeld. Maar Mavros hield van zijn affiches. Ze herinnerden hem eraan dat hij een goeie bokser was geweest. Een goeie trainer ook. Tegenwoordig organiseerde hij geen wedstrijden meer. Hij gaf les. Aan de kinderen uit de wijk. En met een kleine subsidie hielp het stadhuis van het arrondissement hem de zaal in stand te houden. Iedereen in de wijk was het ermee eens dat het beter was dat de jongeren leerden boksen dan dat ze auto's in brand staken of ruiten ingooiden.

'Je rookt te veel, Fabio', zei hij. 'En dit hier', voegde hij eraan toe terwijl hij me op mijn buik sloeg, 'is een beetje slap.'

'En dit!' antwoordde ik en ik zette mijn vuist tegen zijn kin.

'Ook slap.' Hij lachte. 'Nou, kom maar op.'

Mavros en ik hadden een kwestie om een meisje in deze ring geregeld. We waren zestien. Ophelia heette ze. We waren allebei verliefd op haar. Maar Mavros en ik mochten elkaar. En we wilden geen ruzie om een meisje.

'We spelen op punten', had hij voorgesteld. 'In drie ronden.'

Zijn vader, geamuseerd, was scheidsrechter. Hij had deze zaal opgericht, met behulp van een organisatie die verwant was aan de communistische vakbond. Sport en cultuur.

Mavros was veel beter dan ik. In de derde ronde drong hij me in een hoek van de ring, boog zich naar me over en begon hevig op me in te slaan. Maar ik was woester dan hij. Ik wilde Ophelia hebben. Terwijl hij sloeg, kwam ik weer op adem en bracht hem, me van hem losmakend, weer terug naar het midden van de ring. Daar slaagde ik erin hem een stuk of twintig rake klappen uit te delen. Ik hoorde zijn ademhaling tegen mijn schouder. We waren even sterk. Mijn verlangen naar Ophelia compenseerde mijn gebrek aan techniek. Net voor de bel ging, raakte ik hem op zijn neus. Mavros verloor zijn evenwicht en zocht steun in de touwen. Ik mikte nog beter, aan het eind van mijn krachten. Nog een paar seconden en met een enkele uppercut had hij me kunnen vloeren.

Zijn vader riep me uit tot winnaar. Mavros en ik omhelsden elkaar. Maar op vrijdagavond besloot Ophelia dat ze met hem uit wilde. En niet met mij.

Mavros was met haar getrouwd. Ze was juist twintig geworden. Hij was eenentwintig, met een mooie carrière als middengewicht voor zich. Maar ze had hem gedwongen het boksen vaarwel te zeggen. Ze kon er niet tegen. Hij was vrachtwagenchauffeur geworden, totdat hij begreep dat ze hem iedere keer als hij de weg opging, bedroog.

Twintig minuten later gooide ik de handdoek in de ring. Hijgend. Met lamme armen. Ik spuugde mijn gebitsbeschermer in mijn handschoen en ging op de bank zitten. Ik liet mijn hoofd voorover hangen, te uitgeput om het rechtop te houden.

'Hé, kampioen, hou je ermee op?'

'Krijg wat!' hijgde ik.

Hij begon te lachen.

'Even lekker douchen en dan gaan we een koud pilsje pakken.'

Dat was precies waar ik aan dacht. Een douche en een pilsje.

Nog geen uur later zaten we op het terras van de Bar des Minimes, aan de Chemin Saint-Antoine. Bij het tweede pilsje had ik Mavros alles verteld wat er gebeurd was. Van mijn ontmoeting met Sonia tot aan mijn lunch met Hélène Pessayre.

'Ik moet Babette zien te vinden.'

'En dan? Stop je d'r dan in 'n pakje dat je die kerels vervolgens cadeau doet?'

'Dan weet ik het niet, Georges. Maar ik moet haar vinden. Om op zijn minst te snappen hoe ernstig het is. Misschien is er een manier om met ze tot een akkoord te komen.'

'Schiet toch op! Voor kerels die in staat zijn een meisje om zeep te helpen alleen maar om jou in beweging te krijgen, is een praatje maken niet hun sterkste kant.'

In werkelijkheid wist ik niet wat ik er allemaal van moest denken. Ik draaide in een kringetje rond. Sonia's dood knaagde aan iedere gedachte die ik had. Maar één ding was zeker. Ook al nam ik het Babette kwalijk dat ze heel deze verschrikking had ontketend, ik zag me haar niet aan de moordenaars van de maffia uitleveren. Ik wilde niet dat ze haar vermoordden.

'Jij kan ook op hun lijst staan', zei ik op schertsende toon.

Die mogelijkheid was ineens bij me opgekomen en het werd me koud om het hart.

'Dat denk ik niet. Als ze er in jouw omgeving te veel om zeep helpen, zal de politie je niet meer met rust laten. En kun jij niet doen wat die kerels van je verwachten.'

Dat sneed hout. In ieder geval, hoe konden ze weten dat Mavros mijn vriend was? Ik was in de zaal gaan boksen. Zoals ik iets ging drinken bij Hassan. Zouden ze Hassan ook neerschieten? Nee, Mavros had gelijk.

'Je hebt gelijk', zei ik.

In zijn ogen las ik echter dat het makkelijker is dingen te zeggen dan ze te geloven. Mavros was niet bang, dat niet. Maar zijn blik was bezorgd. En daar was alle reden toe. Zelfs als de dood ons geen angst aanjoeg, hadden we liever dat hij ons zo laat mogelijk kwam halen, in bed als het dan toch moest, na een goede nachtrust.

'Luister 'ns, Georges, we zouden de trainingen moeten uitstellen naar later. Jij neemt een poosje vakantie, daar is 't het seizoen voor. Een beetje rondlummelen in de bergen... Een weekje of zo.'

'Ik weet niet waar ik moet gaan rondlummelen. En ik heb er ook geen zin in. Ik heb gezegd hoe ik erover denk, Fabio. Dat is wat ik geloof. Het ergste wat er kan gebeuren is dat die heren jou verantwoordelijk stellen. Dat ze je flink in mekaar tremmen. En als dat gebeurt, wil ik die dag niet ver weg zijn. Oké?'

'Oké. Maar hou je erbuiten. Je hebt er niks mee te maken. Babette is mijn pakkie-an. Jij kent haar nauwelijks.'

'Voldoende. En het is een vriendin van jou.'

Hij keek me aan. Zijn ogen waren veranderd. Ze waren koolzwart geworden, maar zonder de glans van het antraciet. Diep in zijn ogen stond een grote vermoeidheid te lezen.

'Ik zal je 'ns wat zeggen', ging hij verder. 'Wat hebben we te verliezen? We zijn ons hele verdomde leven al genaaid. De vrouwen hebben ons laten stikken. We hebben geen kinderen op de wereld gezet. 't Is toch zo? Wat blijft er dan nog over? Vriendschap.'

'Precies. Die is te belangrijk om zomaar weg te smijten, als een prooi voor de aasgieren.'

'Oké, ouwe jongen', zei hij. Hij gaf me een klap op mijn schouder. 'We nemen er nog een en dan ben ik weg. Ik heb een afspraak met de vrouw van een stationschef.'

'Zal best!'

Hij begon te lachen. Het was de Mavros uit mijn jeugd. Vechtjas, gespierd, sterk, zeker van zichzelf. En verleider.

'Nee, het is gewoon iemand die op het postkantoor in de buurt werkt. Uit Réunion. Haar man heeft haar met twee kinderen laten zitten. Vanavond speel ik vadertje, dan ben ik bezig.'

'En daarna met mama.'

'Hé,' zei hij, 'daar zijn we nog niet te oud voor, hoor!'

Hij dronk zijn glas leeg.

'Ze verwacht niets van mij, en ik niets van haar. We maken alleen de nachten wat minder lang.'

Ik stapte in mijn auto en schoof een bandje van Pinetop Perkins in de recorder. 'Blues After Hours'. Om bij naar het centrum te rijden.

Marseille blues, dat beviel me altijd het best.

Ik maakte een omweg langs de kust. Over die lelijke metalen bruggen die de landschapsadviseurs van de Euroméditerranée wilden slopen. In dat artikel in het tijdschrift *Marseille* hadden ze het over 'een koude afweer die voortkwam uit dit universum van machines, beton en vastgeklonken geraamtes onder de zon'. De idioten!

De haven was schitterend vanaf deze plek. Al rijdend kon je alles in je opnemen. De kades. De vrachtschepen. De hijskranen. De ferry's. De zee. Het Château d'If en Les Îles du Frioul in de verte. Alles was even mooi om naar te kijken.

# 9

## Waarin wordt geleerd dat het moeilijk is de doden te overleven

We reden bumper aan bumper, onder luid getoeter. Vanaf de Corniche stonden er in beide richtingen lange rijen auto's. Het leek wel of de hele stad een afspraak had op de terrassen van de ijssalons, de cafés en de restaurants die langs de zee lagen. Met de snelheid waarmee we vooruit kwamen zou mijn voorraad cassettebandjes uitgeput raken. Ik was van Pinetop Perkins overgegaan op Lightnin' Hopkins. 'Darling, Do You Remember Me?'

Het begon onrustig te worden in mijn hoofd. De herinneringen. Sinds een paar maanden ontspoorden mijn gedachten steeds vaker. Het kostte me moeite me op iets bepaalds te concentreren, zelf op het vissen – en dat werd ernstig.

Hoe meer de tijd verstreek hoe belangrijker Loles afwezigheid werd, mijn leven beheerste. Ik leefde in de leegte die zij had achtergelaten. Het ergste was het thuiskomen. Alleen thuis te zijn. Voor het eerst van mijn leven.

Ik had andere muziek op moeten zetten. Mijn zwarte gedachten verjagen met Cubaanse klanken. Guillermo Portabales. Francisco Repilado. Of nog beter, de Buena Vista Social Club. Dat had ik moeten doen. Daar kon je mijn leven mee samenvatten, met 'dat had ik moeten doen'. Geweldig, zei ik tegen mezelf, toen ik lang en luid claxonneerde naar de automobilist voor me. Op zijn dooie gemak liet hij zijn gezin uitstappen, met de picknick voor 's avonds op het strand. De koelbox, de stoelen, de klaptafel. Alleen de tv ontbrak er nog aan, dacht ik. Ik kreeg een slecht humeur.

Bij het Café du Port, op de Point-Rouge – we hadden er veertig minuten over gedaan om tot daar te komen – kreeg ik zin mezelf op een glas drank te trakteren. Een of twee. Drie misschien. Maar in gedachten zag ik Fonfon en Honorine op het terras op me zitten wachten. Ik was niet echt alleen. Zij beiden waren er. Met hun liefde voor mij. Hun geduld. Vanochtend, na het telefoontje van Hélène Pessayre, was ik vertrokken zonder ze gedag te zeggen. Ik had nog niet de moed gevonden het hun te vertellen. Van Sonia.

'Wie wil je vermoorden?' had Honorine me vannacht gevraagd.

'Laat maar, Honorine. Er zijn duizenden mensen die ik wil vermoorden.'

'Jawel, maar van die menigte lijkt die ene je wel heel na aan 't hart te liggen.'

''t Is niks, 't komt door de warmte. Die werkt op m'n zenuwen. Ga maar weer slapen.'

'Neem een kopje kamillethee. Daar wordt je rustig van. Dat doet Fonfon ook tegenwoordig.'

Ik had mijn hoofd gebogen. Zodat ik de vragen die in haar ogen rezen niet hoefde te zien. Haar angst ook, me in gemene zaken verwikkeld te zien raken. Ik weet nog precies hoe ze had gekeken toen ik haar vier jaar geleden de dood van Ugo was komen vertellen. Die blik wilde ik niet nog eens trotseren. Voor niets ter wereld. En vooral nu niet.

Honorine wist dat ik geen bloed aan mijn handen had. Dat ik er nooit toe had kunnen overgaan een mens in koelen bloede te doden. Batisti had ik aan de politie overgelaten. Narni had zich met zijn auto in een ravijn van de Col de la Gineste gestort. Er was alleen Saadna. Hem had ik midden in de vlammen achtergelaten en daar had ik geen spijt van. Maar zelfs die weerzinwekkende smeerlap had ik niet zo maar in gemoede neer kunnen schieten. Dat wist ze allemaal. Dat had ik haar verteld.

Maar nu was ik niet meer dezelfde. En dat wist Honorine ook. Ik had te veel opgekropte woede in me, niet vereffende rekeningen. Te veel wanhoop ook. Ik was niet verbitterd, nee, ik was het zat. Moe. Een grote vermoeidheid van de mensen en de mensheid. De onrechtvaardige, stompzinnige, wrede dood van Sonia speelde voortdurend door mijn hoofd. Haar dood maakte alle andere doden onverdraaglijk. Inclusief al die anonieme doden waarover ik iedere ochtend in de krant kon lezen. Duizenden. Honderdduizenden. In Bosnië. In Rwanda. En in Algerije met zijn dagelijkse vloedgolf aan bloedbaden. Nacht na nacht werden zo'n honderd vrouwen, kinderen en mannen afgeslacht, de keel doorgesneden. De weerzin.

Werkelijk om van te kotsen.

Sonia.

Ik wist niet wat voor kop haar moordenaar had, maar het was met zekerheid een doodskop. Een doodskop op zwarte stof. Een vlag die sommige nachten in mijn hoofd werd gehesen. Vrij wapperend, altijd ongestraft. Daar wilde ik een eind aan maken. In ieder geval één keer. Voor eens en voor altijd.

Sonia.

Verdomme! Ik had mezelf voorgenomen haar vader en haar zoon op te zoeken. Veeleer dan het op een drinken te zetten moest ik dat vanavond in ieder geval doen. Hem ontmoeten. Hem en de kleine Enzo. En hun zeggen: ik geloof dat ik van Sonia heb gehouden.

Ik zette de linker richtingaanwijzer aan, voegde uit en reed met de neus van mijn auto in de tegemoetkomende file. Onmiddellijk werd er getoeterd. Maar daar had ik maling aan. Iedereen had er maling aan. Je toeterde uit principe. Schelden gebeurde op dezelfde manier.

'Waar denk je heen te gaan, imbeciel?'

'Naar je zuster!'

Na twee keer achteruitmanoevreren lukte het me in de rij in

te voegen. Ik sloeg gelijk linksaf om de opstoppingen van de andere kant te vermijden. Ik slalomde door een doolhof van zijweggetjes en slaagde erin de Avenue des Goumiers te bereiken. Hier kon je al beter doorrijden. Richting La Capelette, een wijk waarin vanaf de jaren twintig Italiaanse families, voornamelijk afkomstig uit het noorden, bij elkaar waren gaan wonen.

Attilio, de vader van Sonia, woonde in de Rue Antoine Del Bello, op de hoek van de Boulevard Fifi Turin. Twee Italiaanse verzetsstrijders, gestorven voor Frankrijk. Voor de vrijheid. Voor die idee van de mens die onverenigbaar was met het superioriteitsgevoel van Hitler en Mussolini. En toen Del Bello, een Italiaans voogdijkind, in het verzet stierf, was hij niet eens een Fransman.

Attilio De Luca deed de deur open en ik herkende hem. Zoals Hassan me had gezegd. De Luca en ik waren elkaar al in zijn bar tegengekomen. En hadden er samen een paar aperitiefjes gedronken. In 1992 was hij ontslagen, na vijftien jaar als ladingcontroleur bij Intramar te hebben gewerkt. Vijfentwintig jaar had hij zich in de haven afgesloofd. Hij had me flarden van zijn leven verteld. Zijn trots om havenarbeider te zijn. Zijn stakingen. Tot aan dat jaar waarin de oudste havenarbeiders aan de kant werden gezet. In naam van de modernisering van het gereedschap. De oudste, en alle lastpakken. De Luca stond op de zwarte lijst. De 'onkneedbaren'. En mede door zijn leeftijd stond hij als een van de eersten op straat.

De Luca was geboren in de Rue Antoine-Del-Bello. Een straat met namen op *i* en op *a*, voordat al die families Alvarez, Gutierez en Domenech er neerstreken.

'Toen ik werd geboren, waren er van de duizend personen in de straat negenhonderdvierennegentig Italiaan, twee Spanjaard en één Armeniër.'

Zijn jeugdherinneringen leken verbazingwekkend veel op

de mijne en weerklonken in mijn hoofd met hetzelfde gevoel van geluk.

'En 's zomers was het in de Impasse één lange rij stoelen die zich op het trottoir uitstrekte. Iedereen kwam er zijn verhaal doen.'

Godsamme, dacht ik, waarom heeft hij het nooit over zijn dochter gehad? Waarom is ze nooit een avondje met hem meegekomen naar Hassan? Waarom had ik Sonia alleen maar ontmoet om haar voor eens en voor altijd te verliezen? Het was vreselijk, maar met Sonia voelde ik geen spijt – zoals met Lole – alleen maar wroeging. De ergste die bestond. Dat ik ongewild de veroorzaker van haar dood was geweest.

'O! Montale', zei De Luca.

Hij was honderd jaar ouder geworden.

'Ik heb het gehoord. Van Sonia.'

Hij keek op, met rode ogen. Vol met vragen. Hij begreep natuurlijk niet wat ik hier kwam doen. Rondjes pastis, zelfs bij Hassan, schiepen een gevoel van sympathie, geen familiebanden.

Bij de naam van Sonia zag ik Enzo verschijnen. Zijn hoofd reikte tot het middel van zijn grootvader. Hij drukte zich tegen hem aan, met een arm om zijn been en ook hij hief zijn ogen naar me op. De grijsblauwe ogen van zijn moeder.

'Ik...'

'Kom binnen, kom binnen... Enzo! Naar bed. Het is bijna tien uur. Die jongens willen nooit slapen', gaf hij met monotone stem commentaar.

De kamer was redelijk groot, maar stond vol met meubels die op hun beurt vol stonden met snuisterijen, ingelijste familiefoto's. Precies zoals zijn vrouw het tien jaar geleden had achtergelaten, toen zij De Luca had verlaten. Zoals hij hoopte dat zij het zou vinden als ze op een dag terug zou komen. 'Op een goeie dag', had hij tegen me gezegd.

'Ga zitten. Wil je wat drinken?'

'Pastis graag. In een groot glas. Ik heb dorst.'

'Verdomde hitte', zei hij.

Het leeftijdsverschil tussen hem en mij was gering. Een jaar of zeven, acht misschien. Het scheelde niet veel of ik had een kind van Sonia's leeftijd kunnen hebben. Een meisje. Een jongen. Het gaf me een onbehaaglijk gevoel dat te bedenken.

Hij kwam terug met twee glazen, ijsklontjes en een grote karaf water. Uit een buffet pakte hij vervolgens de fles anijs.

'Had ze met jou een afspraak gisteravond?' vroeg hij terwijl hij mijn glas inschonk.

'Ja.'

'Toen ik je voor de deur zag staan, begreep ik het.'

Zeven of acht jaar verschil. Dezelfde generatie, of nagenoeg. Opgegroeid in de periode na de oorlog. De generatie van de opofferingen, de spaarzaamheid. Pasta 's middags en pasta 's avonds. En brood. Opengesneden brood, met tomaat en een scheutje olie. Brood met broccoli. Brood met aubergine. De generatie ook van alle dromen die, voor onze vaders, de glimlach en de goedmoedigheid van Stalin hadden. Op zijn vijftiende was De Luca lid geworden van de communistische jeugd.

'Ik heb alles voor zoete koek geslikt', had hij me verteld. 'Hongarije, Tsjecho-Slowakije, de over 't geheel genomen positieve balans van het socialisme. Tegenwoordig slik ik niks meer!'

Hij gaf me een glas zonder me aan te kijken. Ik vermoedde wat er door zijn hoofd speelde. Zijn gevoelens. Zijn dochter in mijn armen. Zijn dochter onder mijn lichaam, bij het vrijen. Ik wist niet of hij het wel echt gewaardeerd zou hebben, deze geschiedenis tussen haar en mij.

'Er is niets gebeurd, weet je. We zouden elkaar weer ontmoeten en...'

'Laat maar, Montale. Dat is nu allemaal...'

Hij nam een grote slok pastis en richtte zijn blik toen eindelijk op mij.
'Heb jij geen kinderen?'
'Nee.'
'Dan kun je het niet begrijpen.'
Ik slikte mijn speeksel in. Zijn smart was bijna tastbaar. En parelde rond zijn ogen. Ik wist dat we vrienden geworden zouden zijn, ook later. En dat hij bij onze maaltijden geweest zou zijn, met Fonfon en Honorine.
'We hadden iets op kunnen bouwen, zij en ik. Denk ik. Met de jongen.'
'Ben je nooit getrouwd geweest?'
'Nee, nooit.'
'Je zult wel veel vrouwen gekend hebben.'
'Het is niet wat je denkt, De Luca.'
'Ik geloof niets meer. In ieder geval...'
Hij dronk zijn glas leeg.
'Nog een?'
'Een bodempje.'
'Ze is nooit gelukkig geweest. Ze is alleen maar klootzakken tegengekomen. Heb jij daar een verklaring voor, Montale? Knap, intelligent en alleen maar klootzakken. En dan heb ik 't niet over de laatste, de vader van...' Met zijn hoofd wees hij naar de kamer waar Enzo op bed lag. 'Gelukkig is hij ertussenuit geknepen, anders denk ik dat ik 'm op een dag had doodgeslagen.'
'Die dingen kun je niet verklaren.'
'Nee, dat zal wel. Ik voor mij denk dat we onze tijd verdoen met elkaar verliezen, en als je elkaar vindt is 't te laat.'
Weer keek hij me aan. Achter zijn tranen, die bijna begonnen te stromen, brak een vleugje vriendschap door.
'Mijn leven is ook zo geweest', zei ik.
Mijn hart begon hevig te bonzen en kneep toen samen. Lole moest het, ergens, stevig vasthouden. Ze had duizend keer

gelijk, ik begreep nergens iets van. Houden van betekende je blootgeven aan de ander. Zowel je sterke als je zwakke kant. Waarachtig. Waar was ik bang voor in de liefde? Die naaktheid? Zijn waarheid? De waarheid?

Sonia zou ik alles verteld hebben. En ook die grendel op mijn hart – Lole – opgebiecht hebben. Ja, zoals ik al tegen De Luca zei, met Sonia had ik iets op kunnen bouwen. Anders. Vreugde, gelach. Geluk. Maar anders. Alleen maar anders. Waarvan je gedroomd hebt, op gewacht hebt, vele jaren naar verlangd hebt en toen bent tegengekomen en hebt liefgehad. De dag dat het verdwijnt weet je zeker dat je het nooit meer terug zult vinden, zomaar, op een andere hoek van je levensweg. En zoals iedereen weet, bestaat er geen bureau voor verloren liefdes.

Sonia zou het begrepen hebben. Zij, die zo snel mijn hart aan de praat had gekregen, me eenvoudigweg had laten praten. En misschien zou er een later zijn geweest. Een later overeenkomstig onze wensen.

'Ja', zei De Luca, terwijl hij opnieuw zijn glas leegdronk.

Ik stond op.

'Ben je alleen daarom hier gekomen, om me te vertellen dat jij 't was?'

'Ja', loog ik. 'Om 't je te vertellen.'

Hij stond moeizaam op.

'Weet de jongen het?'

'Nog niet. Ik weet niet hoe... Ik weet ook niet wat ik met hem aan moet... Een nachtje, een dag. Een weekje in de vakantie... Maar hem opvoeden? Ik heb mijn vrouw geschreven...'

'Mag ik hem welterusten gaan zeggen?'

Hij knikte. Maar tegelijkertijd legde hij een hand op mijn arm. Alles wat hij aan verdriet had binnengehouden, kwam eruit. Zijn borst zette uit. De snikken braken de dijken van trots die hij voor mij had opgetrokken.

‘Waarom?’

Hij begon te huilen.

‘Waarom hebben ze haar vermoord? Waarom zij?’

‘Ik weet ’t niet’, zei ik heel zacht.

Ik trok hem naar me toe en hield hem stevig vast. Hij snikte hevig. Zo zacht mogelijk zei ik nogmaals: ‘Ik weet ’t niet.’

De tranen van zijn liefde voor Sonia, dikke warme tranen, kleverig, liepen in mijn nek. Ze roken naar de geur van de dood. De geur die ik had geroken toen ik bij Hassan binnenkwam. Precies dezelfde geur. In gedachten probeerde ik een gezicht op de moordenaar van Sonia te plakken.

Toen zag ik Enzo voor ons staan, een pluche beertje onder zijn arm.

‘Waarom huilt opa?’

Ik maakte me los van De Luca en hurkte bij Enzo neer. Ik legde mijn armen om zijn schouders.

‘Je mama komt niet meer terug’, zei ik. ‘Ze is… Ze heeft een… een ongeluk gehad. Begrijp je dat, Enzo? Ze is dood.’

En ook ik begon te huilen. Te huilen om ons, die het allemaal zouden moeten overleven. De permanente smeerlapperij van de wereld.

## 10

## Waarin het verdriet zich dankzij de lichtheid kan verzoenen met de vlucht van een meeuw

Tot middernacht had ik met Fonfon en Honorine rami gespeeld. Met hen kaarten was meer dan verstrooiing. Een manier om met elkaar verbonden te blijven. Om gevoelens die je moeilijk kunt uiten, met elkaar te delen zonder ze openlijk te verwoorden. Tussen het opgooien van de kaarten door werden blikken uitgewisseld, glimlachjes. En hoewel het een simpel spel was, moest je op blijven letten welke kaarten er werden weggegooid. Dat was goed om mijn gedachten een paar uur in bedwang te houden.

Fonfon had een fles Bunan meegebracht. Een oude marc uit La Cadière, vlak bij Bandol.

'Proef dat maar eens', had hij gezegd, 'dat is nog 'ns wat anders dan die Schotse whisky van jou.'

Het was heerlijk. Niet te vergelijken met mijn Lagavulin met zijn lichte turfsmaak. De Bunan, hoewel droog, was alleen maar fruitig, met alle aroma's van de *garrigue*. In de tijd die het kostte om twee potjes rami te winnen en er acht te verliezen, had ik vier glazen met genoegen naar binnen gewerkt.

Toen we uiteen gingen, kwam Honorine naar me toe met een luchtkussenenvelop.

'Hier, dat vergat ik bijna. Dit heeft de postbode vanochtend voor je afgegeven. Omdat er breekbaar op staat, wilde hij het niet in je brievenbus stoppen.'

Op de achterkant stond geen enkele aanwijzing over de afzender. De envelop was gepost in Saint-Jean-du-Gard. Ik maakte hem open en haalde er vijf diskettes uit. Twee blauwe, een witte, een rode en een zwarte. 'Ik hou nog steeds van je', had Babette op een briefje geschreven. En daaronder: 'Bewaar dit goed voor me.'

Babette! Het bloed begon te bonzen in mijn slapen. En als in een flits zag ik het gezicht van Sonia voor me. Sonia met doorgesneden keel. Toen herinnerde ik me nauwkeurig hoe haar hals er had uitgezien. Gebronsd als haar huid. Slank. En die net zo zacht leek als de schouder waarop ik, heel even, mijn hand had gelegd. Een hals die je graag zou kussen, net onder het oor. Of strelen met de toppen van je vingers, alleen maar vanwege de verrukking die de teerheid van het contact teweeg bracht. Ik wou dat ik een hekel kon hebben aan Babette!

Maar hoe krijg je een hekel aan iemand van wie je houdt? Van wie je hebt gehouden. Een vriend of een geliefde. Mavros of Lole. Net zomin als ik me van de vriendschap van Manu en Ugo had kunnen losmaken. Je kunt jezelf verbieden ze te zien, iets van je te laten horen, maar een hekel aan ze krijgen, nee, dat was onmogelijk. Voor mij in ieder geval.

Ik herlas het briefje van Babette, en woog de diskettes in mijn hand. Ik had het gevoel dat het hierin besloten lag, dat ons lot, in de meest weerzinwekkende omstandigheden, met elkaar verbonden was. Babette deed een beroep op de liefde, maar het was de dood die zijn neus liet zien. Voor altijd. Dat zeiden we toen we kind waren. We maakten een kleine snee in onze pols en kruisten onze onderarmen met de polsen tegen elkaar. Gedeeld bloed. Vrienden voor het leven. Broeders. Eeuwige liefde.

Babette. Jarenlang hadden we alleen onze verlangens gedeeld, en onze eenzaamheid. Ik voelde me ongemakkelijk met haar 'ik hou nog steeds van je'. Dat vond geen enkele weerklank in mij. Ik vroeg me af of ze eerlijk was. Of was het simpelweg haar enige manier om mij te hulp te roepen? Ik wist maar al te goed dat je dingen kon zeggen, ze geloven op het moment dat je ze zei, en in de uren of dagen daarna handelingen kon verrichten die ermee in tegenspraak waren. Met name in de liefde. Omdat de liefde het meest irrationele gevoel is, en de oorsprong – wat men er ook van zegt – in de ontmoeting van twee seksen ligt, in het genot dat ze elkaar bezorgen.

Op een keer zei Lole tegen me, toen ze haar spullen in een tas aan het pakken was: 'Ik ga weg. Over een week, denk ik.'

Ik had haar lange tijd aangekeken, haar ogen strelend. Met een knoop in mijn maag. Normaal gesproken zou ze gezegd hebben: 'Ik ga mijn moeder opzoeken', of: 'Het gaat niet goed met m'n zus. Ik ga een paar dagen naar Toulouse.'

'Ik moet nadenken, Fabio. Dat heb ik nodig. Voor mezelf. Snap je, ik heb het nodig om over mezelf na te denken.'

Ze was gespannen, omdat ze me het op die manier moest zeggen. Ze had niet het goede moment kunnen vinden om het aan te kondigen. Het uit te leggen. Ik begreep haar gespannenheid, zelfs al deed het me pijn. Ik had een tocht voorbereid die ik in het achterland van Nice met haar wilde maken. Richting Gorbio, Saint Agnès, Sospel. Maar zonder het haar te vertellen – zoals gewoonlijk.

'Doe wat je wilt.'

Ze ging naar een vriend. De gitarist die ze op een concert had ontmoet. In Sevilla, toen ze bij haar moeder was. Ze bekende het pas op de terugweg.

'Ik heb niets gedaan om...' voegde ze eraan toe. 'Ik dacht niet dat het zo snel zou gebeuren, Fabio.'

Ik nam haar in mijn armen, haar lichaam, dat ze enigszins stijf hield, tegen het mijne drukkend. Toen wist ik dat ze had nagedacht, over haarzelf, over ons. Maar natuurlijk niet zoals ik me had voorgesteld. Niet zoals ik had beluisterd in de woorden die ze voor haar vertrek tegen me zei.

'Zeg, wat zijn dat voor dingen?' vroeg Honorine.

'Diskettes. Die zijn voor computers.'

'Kun jij daarmee overweg?'

'Een beetje. Vroeger had ik er een. Op mijn kantoor.'
Ik omhelsde hen allebei. En wenste ze welterusten. Gehaast ineens.
'Als je vroeg weggaat, kom dan in ieder geval even langs', zei Fonfon.
'Afgesproken.'
Ik was al ergens anders met mijn gedachten. Bij de diskettes. Wat erop stond. De redenen waarom Babette nu in de knoei zat. Waar ze mij in meesleepte. Die Sonia het leven hadden gekost. En die een grootvader en een jongen van acht alleen en verbijsterd achterlieten.

Ik belde Hassan. Toen hij opnam, herkende ik de eerste noten van 'In a Sentimental Mood'. En het geluid. Coltrane en Duke Ellington. Een kleinood.
'Zeg, hangt Sébastien daar soms rond?'
'Ja hoor, ik zal 'm even voor je roepen.'
In de loop der jaren had ik in de bar een groep vrienden leren kennen. Sébastien, Mathieu, Régis en Cédric. Ze waren vijfentwintig. Mathieu en Régis waren bezig hun studie architectuur af te ronden. Cédric schilderde en organiseerde sinds kort technoconcerten. Sébastien kluste zwart bij. De vriendschap die hen verbond verwarmde mijn hart. Hij was tastbaar en tegelijk onverklaarbaar. Manu, Ugo en ik waren ook zo geweest. Ieder avond schommelden we van de ene naar de andere kroeg, lachend om alles, zelfs om de meisjes met wie we uit waren. We waren verschillend maar we hadden dezelfde dromen. Net als deze vier jongens. En net als zij wisten we dat we onze discussies met niemand anders zouden kunnen voeren.
'Hallo', zei Sébastien.
'Met Montale. Stoor ik niks?'
'De meisjes zijn aan 't douchen. We zijn gewoon onder ons.'
'Zeg, die neef van jou, Cyril, denk je dat hij wat diskettes voor me kan lezen?'

Sébastien had me verteld dat Cyril een computergek was. Voorzien van alle mogelijke en onmogelijke snufjes. En dat hij iedere avond op internet zat.

'Geen probleem. Wanneer?'

'Nu?'

'Nu! O! Je bent nog erger dan toen je smeris was.'

'Je had het niet beter kunnen zeggen.'

'Oké. We wachten op je. Er staan vier rondjes op de lat!'

Ik was er in minder dan twintig minuten. Alle lichten stonden op groen, op drie keer oranje na. Geen blauw te zien op straat. Het was niet erg druk bij Hassan. Sébastien en zijn vrienden. Drie stelletjes. En een stamgast, een uitgebluste dertiger, die elke week *Taktik*, het gratis culturele weekblad van Marseille, kwam lezen, van de eerste tot de laatste letter. Waarschijnlijk omdat hij geen kaartje kon kopen voor een concert, of zelfs maar voor de bioscoop.

'Als jij me van ze verlost,' zei Hassan, op de vier jongens wijzend, 'dan kan ik sluiten.'

'Cyril verwacht ons', zei Sébastien. 'Wanneer je maar wilt. Hij woont hier vlakbij. Op de Boulevard Chave.'

'Zal ik nog een rondje geven?'

'Nou, 't is nachtwerk, dus dat is wel 't minste.'

'Het is 't laatste', zei Hassan. 'Breng je glas.'

Hij schonk een whisky voor me in. Zonder te vragen. Dezelfde als voor Sonia. Oban. Voor zichzelf schonk hij er ook een in, wat een uitzondering was. Hij hief zijn glas om te proosten. We keken elkaar aan. We dachten hetzelfde. Aan dezelfde persoon. De woorden hadden geen enkele betekenis. Het was als met Fonfon en Honorine. Er zijn geen woorden om het kwaad mee te beschrijven.

Hassan had nog steeds Coltrane en Ellington opstaan. Ze begonnen aan 'Angelica'. Muziek die over liefde sprak. Vreugde. Geluk. Met een lichtheid die het mogelijk maakte onverschillig welk menselijk verdriet te verzoenen met de vlucht van een meeuw naar andere kusten.

'Wil je er nog een?'

'Vlug dan. En de jongens ook.'

De vijf diskettes bevatten bladzijden en bladzijden aan documenten. Ze waren allemaal gecomprimeerd zodat er zoveel mogelijk informatie kon worden opgeslagen.

'Lukt 't?' vroeg Cyril.

Ik zat voor zijn computer en begon de bestanden van de blauwe diskette door te nemen.

'Ik ben een uurtje bezig. Ik ga niet alles lezen. Ik wil alleen een aantal dingen opzoeken die ik nodig heb.'

'Neem de tijd. We hebben genoeg om het een poosje uit te zingen!'

Ze hadden verscheidene sixpacks bier, pizza's en genoeg saffies om niet zonder te komen zitten. Zoals zij van start waren gegaan, zouden ze de wereld minstens vier of vijf keer verbeteren. En afgaande op wat zich voor mijn ogen ontrolde had de wereld dat ook hard nodig, verbeterd te worden.

Uit nieuwsgierigheid opende ik het eerste document. *Hoe de maffia de wereldeconomie ondermijnt.* Klaarblijkelijk was Babette begonnen met het redigeren van haar onderzoek. 'In het tijdperk van de mondialisering van de markten blijft de rol van de georganiseerde misdaad onderbelicht. Gevoed door Hollywood-stereotypen en sensatiejournalistiek wordt, in de algemene opinie, de criminele activiteit sterk geassocieerd met de ineenstorting van de openbare orde. Terwijl de kwalijke gevolgen van de kleine criminaliteit met vette letters gedrukt worden, wordt de rol van de politiek en de economie, evenals de invloed van de internationaal georganiseerde misdaad, het grote publiek nauwelijks onthuld.'

Ik klikte een stukje verder. 'De georganiseerde misdaad is stevig verankerd in het economisch stelsel. Door het opengooien van de markten, de neergang van de verzorgingsstaat, de privatiseringen, de ongeregeldheden in de internationale handel en financiën enz., ontstaat de neiging de groei van illegale activiteiten te begunstigen, evenals de internationalisering van een concurrerende criminele economie.

Volgens de Verenigde Naties (VN) belopen de jaarlijkse revenuen op wereldschaal van de multinationale criminele organisaties in de orde van duizend miljard dollar, een bedrag dat net zo groot is als het gezamenlijk bruto nationaal product (BNP) van de zwakke landen (volgens de klassering van de Wereldbank) en hun drie miljard inwoners. Deze raming houdt rekening met zowel het product van de drugshandel, illegale wapenhandel, smokkel van nucleair materiaal, enz., als met de producten die gecontroleerd worden door de maffia (prostitutie, gokspelen, zwarte handel in valuta...).

Daarentegen wordt geen rekening gehouden met de omvang van de doorlopende investeringen die criminele organisaties doen in de overname van legitieme ondernemingen, evenmin als de macht die ze uitoefenen op de productiemiddelen in talrijke sectoren van de legale economie.'

Ik begon te vermoeden wat de andere diskettes allemaal verborgen konden houden. Noten onder aan de bladzijde refereerden aan officiële documenten. Een ander notenapparaat, dat vetgedrukt was, verwees naar andere diskettes, volgens een nauwkeurige indeling: naar zaak, naar plaats, naar onderneming, naar politieke partij, en ten slotte naar naam. Fargette. Yann Piat. Noriega. Sun Investissement. International Bankers Luxembourg... Ik kreeg er kippenvel van. Want ik wist zeker dat Babette gewerkt had met de professionele meedogenloosheid waardoor ze werd bezield sinds ze in dit beroep was begonnen. De liefde voor de waarheid.

Ik klikte nogmaals verder.

'Tegelijkertijd werken criminele organisaties samen met legale ondernemingen door te investeren in een breed scala aan legitieme activiteiten die hen niet alleen een dekmantel verschaffen voor het witwassen van geld, maar ook een zekere manier om kapitaal op te bouwen buiten de criminele activiteiten om. Deze investeringen worden in hoofdzaak gedaan in luxe onroerend goed, de vrijetijdsindustrie, uitgeverijen en media, financiële dienstverlening enz., maar ook in de industrie, de landbouw en openbare diensten.'

'Ik ben spaghetti bolognese aan 't maken', kwam Sébastien me storen. 'Wil je ook?'

'Alleen als je andere muziek opzet!'

'Hoor je dat, Cédric?' riep Sébastien.

'We zullen ons best doen!' gaf hij ten antwoord.

De muziek hield op.

'Luister! Dit is Ben Harper.'

Die kende ik niet, dacht ik bij mezelf, maar ik zou het heus wel overleven.

Ik verliet het scherm bij de zin: 'De prestaties van de georganiseerde misdaad overstijgen die van het merendeel van de vijfhonderd meest vooraanstaande mondiale firma's volgens de klassering van het tijdschrift *Fortune*, met organisaties die meer op General Motors lijken dan op de traditionele Siciliaanse maffia.' Een heel programma. Waarin Babette besloten had haar tanden te zetten.

'Waar hebben jullie 't over?' vroeg ik toen ik aan tafel ging zitten.

'Over van alles en nog wat', antwoordde Cédric.

'Van welke kant je de dingen ook bekijkt,' betoogde Mathieu, 'je komt altijd op dezelfde plek terug. Daar waar je voeten staan. In de stront.'

'Goed gezien', zei ik. 'En dan?'

'En dan', nam Sébastien het lachend over, 'moeten we uitkijken waar we lopen, zodat niet alles onder komt.'

Iedereen schoot daverend in de lach. Ik ook. Maar een beetje gedwongen. Want het was precies waar ik stond, in de stront, en ik was er niet zeker van dat niet alles onder kwam.

'Die pasta is heerlijk', merkte ik op.

'Dat heeft Sébastien van z'n vader', legde Cyril uit. 'Dat-ie graag kookt.'

De sleutel van Babettes ellende moest op een van de andere diskettes staan. Waar ze de namen van politici en directeuren van ondernemingen op had gezet. De zwarte diskette.

De witte was een compilatie van documenten. De rode bevatte gesprekken en getuigenissen. Waaronder een interview met Bernard Bertossa, de procureur-generaal van Genève.

'Vindt u dat Frankrijk, in ieder geval op Europees niveau, doeltreffend te werk gaat bij het bestrijden van de internationale corruptie?'

'Weet u, in Europa heeft alleen Italië een daadwerkelijk beleid ontwikkeld om het zwarte geld en de corruptie te bestrijden. Op dit moment in het bijzonder de operatie *Mani pulite* (Schone handen). Eerlijk gezegd wekt Frankrijk absoluut niet de indruk het zwartgeldcircuit en de corruptie aan te willen pakken. Er is geen enkel strategisch beleidsplan, alleen op individueel niveau gebeurt er iets, rechters of procureurs die zich grondig in hun dossiers verdiepen en blijk geven van een grote vasthoudendheid. Spanje legt zich er op dit moment op toe. Dat heeft zojuist een anti-corruptieparket opgericht, terwijl in Frankrijk iets dergelijks niet bestaat. Die houding hangt niet af van deze of gene partij, en of die nu wel of niet aan de macht is. Ze hebben allemaal boter op hun hoofd en niemand heeft er belang bij dat wereldkundig te maken.'

Ik had niet de kracht de zwarte diskette te openen. Wat had ik aan die kennis? Mijn kijk op de wereld was zo al bezoedeld genoeg.

'Kan ik hier een kopie van krijgen?' vroeg ik aan Cyril.

'Zoveel je maar wilt.'

Toen vroeg ik, me de uiteenzetting van Sébastien herinnerend: 'En... kan het ook allemaal op internet gezet worden?'

'Een website bouwen, bedoel je?'

'Een site, ja, die iedereen kan raadplegen.'

'Zeker.'

'Wil je dat doen? Een site voor me bouwen en die pas openzetten als ik het vraag?'

'Ik zal 'm morgen maken.'

Ik verliet ze om drie uur 's nachts. Na nog een laatste biertje weggeklokt te hebben. Op de boulevard stak ik een peuk aan. Ik ging de Place Jean-Jaurès over die er volkomen verlaten bij lag en voor het eerst in lange tijd voelde ik me niet veilig.

# 11

## Waarin het wel degelijk over het leven gaat dat zich hier afspeelt, tot aan de laatste snik

Met een schok werd ik wakker. In mijn hoofd klonk een zacht gerinkel. Maar het was niet de telefoon. Het was ook geen geluid. Het zat wel in mijn hoofd, maar het was geen echt gerinkel. Een klik. Had ik gedroomd? Waarover? Vijf voor zes, shit! Ik rekte me uit. Ik wist nu al dat ik niet meer zou kunnen slapen.

Ik stond op en met een sigaret tussen mijn vingers die ik vermeed aan te steken, liep ik naar het terras. De zee, donkerblauw, bijna zwart, begon onstuimig te worden. De mistral stak op. Slecht teken. Mistral in de zomer betekende branden. Honderden hectaren bos en struikgewas gingen ieder jaar in rook op. De brandweerlieden zouden wel op hun hoede zijn.

Saint-Jean-du-Gard, dacht ik. Dat was het. De klik. De stempel op Babettes envelop. De Cevennen. Wat voerde ze daar uit? Bij wie? Ik had een kop koffie gezet in mijn kleine Italiaanse eenkopskoffiepot. Eén kop, en daarna weer een. Zo had ik mijn koffie het liefst. Niet opgewarmd. Eindelijk stak ik mijn sigaret aan en trok er zachtjes aan. De eerste trek passeerde zonder problemen. Dat was gewonnen voor de volgende.

Ik zette een plaat op van de Zuid-Afrikaanse pianist Abdullah Ibrahim. *Echoes from Africa.* Een bijzonder stuk. 'Zikr'. Ik geloofde niet in God en niet in de duivel. Maar deze muziek, en de zang – het duet met zijn bassist Johnny Dyani – was zo sereen dat je de neiging kreeg de aarde dank te zeggen. Voor haar schoonheid. Urenlang had ik naar dit stuk geluisterd. Bij het ochtendgloren. Of als de zon onderging. Het vervulde me met menslievendheid.

De muziek zwol aan. Met mijn kopje in de hand en staande in de omlijsting van de openslaande deuren keek ik hoe de zee steeds onstuimiger werd. Ik begreep niets van de woorden van Abdullah Ibrahim, maar dit 'Remembrance of Allah' vond in mij zijn meest simpele vertaling. Het gaat wel degelijk over mijn leven, dat zich hier op aarde afspeelt. Een leven met de smaak van warme stenen, het ademen van de zee en de zang van de cicaden die daar weldra mee zullen beginnen. Tot aan mijn laatste snik zou ik van dit leven houden. Insjallah.

Er scheerde een meeuw voorbij, heel laag, bijna over de grond van het terras. Ik dacht even aan Hélène Passeyre. Een mooi vogeltje. Ik had het recht niet haar nog langer voor te liegen, nu ik de diskettes van Babette in mijn bezit had. Nu ik vermoedde waar Babette zat ondergedoken. Ik moest het nog nagaan, maar ik was er bijna zeker van. Saint-Jean-du-Gard. De Cevennen. Ik opende haar ringband met artikelen.

Het was haar eerste grote reportage. De enige die ik nog niet had gelezen. Waarschijnlijk vanwege de foto's die het document illustreerden en die door Babette zelf waren gemaakt. Foto's vol tederheid voor die voormalige filosofiestudent die na mei '68 geitenfokker was geworden. Ik was ervan overtuigd dat Babette van deze Bruno had gehouden. Net als van mij. Zou ze tegelijkertijd van ons, van hem en van mij, gehouden hebben? En van anderen ook nog?

En wat dan nog? dacht ik, het artikel verder lezend. Het was tien jaar geleden. Hield Babette nog steeds van je? Hield ze nog echt van je? Dat briefje van haar vrat aan me. 'Ik hou nog steeds van je'. Was het mogelijk je leven over te doen met iemand van wie je had gehouden? Met wie je had geleefd? Nee, dat geloofde ik niet. Ik had er nooit in geloofd met de vrouwen die ik had verlaten of die mij hadden verlaten. Met Babette geloofde ik er ook niet in. Ik geloofde er alleen in met Lole en dat was pure waanzin. Ik wist niet meer welke vrouw me ooit had verteld dat je de spookbeelden van de liefde met rust moest laten.

Le Castellas, dat was het. Daar was ze. Ik wist het zeker. Zoals zij die plek had beschreven, was het een ideaal oord voor een veilig stekkie. Alleen kon je je er niet tot het einde van je dagen verschansen. Tenzij je besloot er je leven te leiden, zoals die Bruno. Maar ik zag Babette niet als geitenfokster. Ze had nog veel te veel woede in zich.

Ik zette een derde kop koffie en belde inlichtingen. Ik kreeg het nummer van Le Castellas. Toen de telefoon voor de derde keer overging, werd er opgenomen. Een kinderstem. Een jongen.

'Met wie spreek ik?'

'Ik wil met je papa praten.'

'Mama!' riep hij.

Het geluid van voetstappen.

'Hallo.'

'Hallo. Kan ik Bruno even spreken?'

'Wie kan ik zeggen dat er is?'

'Montale. Fabio Montale. Mijn naam zal hem niets zeggen.'

'Een ogenblikje.'

Weer voetstappen. Een deur die openging. Toen was hij aan de andere kant van de lijn, Bruno.

'Ja, zeg het maar.'

Ik hield van deze stem. Resoluut. Zelfverzekerd. Een stem uit de bergen, geladen met de ruigheid ervan.

'We kennen elkaar niet. Ik ben een vriend van Babette. Ik zou haar graag willen spreken.'

Stilte. Hij dacht na.

'Met wie?'

'Luister, laten we er niet omheen draaien. Ik weet dat ze zich bij u verschuilt. Zeg haar dat Montale heeft gebeld. En dat ze me snel moet terugbellen.'

‘Wat is er aan de hand?’
‘Zeg haar dat ze me moet bellen. Bedankt.’

Babette belde een halfuur later.

Buiten blies de mistral met sterke rukwinden. Ik was naar buiten gegaan om Honorines parasol en die van mijzelf in te klappen. Ze had zich nog niet laten zien. Ze was waarschijnlijk koffie gaan drinken bij Fonfon en er gelijk *La Marseillaise* gaan lezen. Sinds *Le Provençal* en *Le Méridional* in één krant, *La Provence*, waren opgegaan, kocht Fonfon alleen *La Marseillaise* nog maar. Hij hield niet van kranten zonder kleur. Hij wilde dat ze stelling namen. Ook als hij het niet met hun ideeën eens was. Zoals *La Marseillaise*, een communistische krant. Of zoals *Le Méridional*, die twintig jaar geleden, voordat hij rechts-liberaal werd, rijk was geworden met het propageren van de extremistische en racistische ideeën van het Front National.

Fonfon kon niet begrijpen dat het hoofdartikel van *La Provence* de ene dag onder de ene hoofdredacteur van linkse signatuur was en de volgende dag onder een andere hoofdredacteur van rechtse signatuur.

‘Dat is pluralisme!’ had hij gescholden.

Toen had hij me het hoofdartikel laten lezen dat die ochtend hulde bracht aan de paus die op bezoek was in Frankrijk. En de lof zong van de morele waarden van het christendom.

‘Ik heb heus niks tegen die meneer, de paus. Ook niet tegen de auteur. Iedereen mag denken wat-ie wil, vrijheid blijheid. Maar…’

Hij sloeg de pagina’s van de krant om.

‘Hier, lees dat ’ns.’

Op de lokale pagina’s stond een klein artikel, met foto’s, over een restauranthouder aan de kust. De man verklaarde dat zijn zaak *toppie* was. Alle serveersters, jong en heel erg charmant, waren praktisch naakt bij het bedienen. Hij zei nog net niet dat je je hand op hun kont mocht leggen. Het was dus de aangewezen plek voor zakendiners. Geld en seks zijn altijd goeie maatjes geweest.

'Je kunt je niet op de voorpagina laten zegenen door de paus en je op pagina vier laten afzuigen, zeg nou zelf!'

'Fonfon!'

'Ja, schiet op! Een krant zonder moraal is geen krant. Ik koop 'm niet meer. Klaar!'

Sindsdien las hij alleen *La Marseillaise* nog maar. En die bracht hem tot net zo grote razernij. Soms met een zweem van kwade trouw. Vaak terecht. Fonfon kon je niet veranderen. En zo hield ik van hem. Ik was te veel mensen tegengekomen die alleen maar een grote bek hadden, zoals ze in Marseille zeggen, en verder niks.

Bij de eerste rinkel van de telefoon was ik geschrokken. Even de twijfel dat het niet Babette was, maar dat tuig van de maffia.

'Fabio', zei ze simpel.

Haar stem droeg karrenvrachten angst, vermoeidheid en uitputting in zich. Met één enkel woord, mijn naam, begreep ik dat zij niet meer helemaal dezelfde was. Ik kreeg ineens het gevoel dat zij, voordat ze op de loop ging, het flink voor haar kiezen had gehad.

'Ja.'

Stilte. Ik wist niet wat zij in die stilte legde. In die van mij lagen alle liefdesnachten van ons samen. Met terugkijken, had die vrouw van wie ik de naam was vergeten ook nog gezegd, kom je op de bodem van de put terecht. Ik stond heel dicht bij de put. Op de rand. Babette.

'Fabio', zei ze nogmaals, zelfverzekerder.

Het lijk van Sonia nam in mijn hoofd zijn plaats weer in. Installeerde zich er opnieuw. Met zijn ijskoude zwaarte. Elke gedachte, elke herinnering verwijderend.

'Babette, we moeten praten.'

'Heb je de diskettes gekregen?'

'Ik heb ze gelezen. Bijna, tenminste. Vannacht.'

'Wat denk je ervan? Ik heb verrekte hard gewerkt, vind je niet?'

'Babette. Hou daarmee op. Ik heb de kerels achter me aan die naar jou op zoek zijn.'

'O.'

De angst steeg haar naar de keel, verstikte haar woorden.

'Ik weet niet meer wat ik moet doen, Fabio.'

'Kom hierheen.'

'Daarheen komen!' schreeuwde ze, bijna hysterisch. 'Je bent gek! Ze hebben Gianni afgeslacht. In Rome. En zijn broer, Francesco. En zijn vriend Beppe. En...'

'Hier hebben ze een vrouw gedood van wie ik hield', antwoordde ik met stemverheffing. 'En ze zullen er nog meer doden, nog meer mensen van wie ik hou. En later, mij. En jou, op een dag. Je blijft daar geen jaren ondergedoken zitten.'

Weer een stilte. Ik hield van Babettes gezicht. Enigszins rond, omlijst door lang, kastanjebruin haar, dat naar beneden toe krulde. Een Botticelli-gezicht.

'We moeten tot een overeenkomst zien te komen', ging ik verder, nadat ik mijn keel had geschraapt.

'Wat!' brulde ze. 'Fabio, dit is mijn levenswerk! Als je die diskettes geopend hebt, dan moet je weten hoeveel werk ik heb verzet. Wat voor overeenkomst denk je dat er te sluiten valt, hè?'

'Een overeenkomst met het leven. Of met de dood. Naar keuze.'

'Hou op! Ik heb geen zin in gefilosofeer.'

'Ik ook niet. Ik wil blijven leven. En jou in leven houden.'

'Ja, dat zal wel. Naar jou toe komen staat gelijk aan zelfmoord.'

'Misschien niet.'

'O nee? En wat had je in gedachten?'

Ik voelde mijn woede opkomen. De rukwinden buiten leken steeds sterker te worden.

'Potverdomme, Babette! Je sleept iedereen mee in die teringzooi van dat verdomde kutonderzoek van je. Kan dat je eigenlijk iets schelen? Kun je slapen? Kun je eten? Neuken? Nou? Geef antwoord, sodeju. Vind je het leuk dat mijn vrienden om zeep worden geholpen? En dat ze mij ook af willen maken. Nou? Goeie genade! En dan beweren dat je nog van me houdt! Je bent geschift, stomme trut!'

Ze begon te snikken.

'Je hebt 't recht niet zo tegen me te praten.'

'Zeker wel! Ik hield verdomme van die vrouw! Sonia heette ze. Ze was vierendertig. Jarenlang heb ik niemand als zij ontmoet. Ik heb dus alle recht!'

'Krijg 't heen en weer!'

En ze hing op.

Die ochtend was Georges Mavros vermoord, rond zeven uur. Ik hoorde het pas twee uur later. Mijn lijn was aldoor bezet. Toen de telefoon opnieuw overging, dacht ik dat het Babette weer was.

'Montale.'

Het klonk bars. De stem van een commissaris. Hélène Pessayre. Terug bij de problemen, dacht ik. Met problemen dacht ik alleen aan haar koppigheid me te laten vertellen wat ik voor haar verborgen hield. Ze gebruikte geen handschoenen om me het nieuws te vertellen.

'Je vriend Mavros, Georges Mavros, is vanochtend vermoord. Toen hij thuiskwam. We hebben hem met doorgesneden keel gevonden, in de ring. Op dezelfde wijze als bij Sonia. Heb je me nog steeds niets te vertellen?'

Georges. Als een dwaas dacht ik onmiddellijk aan Pascale. Maar Pascale had hem al een halfjaar geen teken van leven gegeven. Hij had geen kinderen. Mavros was alleen. Net als ik. Ik hoopte oprecht dat hij een mooie en gelukkige nacht had beleefd met zijn Réunionse vriendin.

'Ik kom.'

'Onmiddellijk', beval Hélène Pessayre. 'In de bokszaal. Dan kun je hem identificeren. Dat ben je hem in ieder geval schuldig, vind je niet?'

'Ik kom eraan', antwoordde ik met gebroken stem.

Ik hing op. De telefoon ging weer over.

'Weet je 't al, van je maat?'

De moordenaar.

'Ik heb 't net gehoord.'

'Jammer.' Hij lachte. 'Ik had 't je graag zelf verteld. Maar de dienders zijn er vlug bij tegenwoordig.'

Ik gaf geen antwoord. Ik zoog zijn stem in me op, alsof dat me de mogelijkheid gaf er een montagefoto van te maken.

'Charmant, hè, die diender? Montale, hoor je me?'

'Ja.'

'Ik adviseer je ons geen streek te leveren. Met haar, of met iemand anders. Diender of niet. We kunnen het tempo op de lijst opvoeren, snap je wel?'

'Ja. Er zullen geen streken komen.'

'Maar gisteren was je met haar aan de wandel! Wat dacht je, dat je een wip met haar kon maken?'

Ze waren er, dacht ik. Ze volgden me. Ik word gevolgd, zo is het. Op die manier zijn ze bij Sonia terechtgekomen. En bij Mavros. Ze hebben geen lijst. Ze weten niets van me. Ze volgen me, en afhankelijk van de wijze waarop zij de band inschatten die ik met iemand heb, doden ze hem. Zo is het. Behalve dat Fonfon en Honorine boven aan de lijst moesten staan. Want dat hadden ze moeten opmerken, dat ik aan die twee gehecht was.

'Montale, hoe ver ben je met je speurwerk?'

'Ik heb een spoor', zei ik. 'Vanavond weet ik 't.'

'Bravo. Tot vanavond dan.'

Ik legde mijn handen om mijn hoofd, om een paar seconden na te denken. Maar alles was al overdacht. Ik draaide het nummer van Bruno weer. Hij nam zelf op. Ze moesten krijgsraad houden in Le Castellas.

'Nog een keer met Montale.'

Stilte.

'Ze wil niet met u praten.'

'Vertel haar dat ik haar doodmaak als ik daar naartoe moet komen. Vertel haar dat.'

'Ik heb 't gehoord', gromde Babette. 'Ik heb meegeluisterd.'

'Ze hebben Mavros afgemaakt, vanochtend. Mavros!' schreeuwde ik. 'Die ken je, godsakkerju! Van al die avonden waarop we samen zo'n lol hebben gehad.'

'Hoe pak ik 't aan?' vroeg ze.

'Hoe pak je wat aan?'

'Als ik in Marseille aankom. Hoe pak ik 't dan aan?'

Hoe wist ik dat nou, hoe het aangepakt moest worden. Daar had ik nog geen minuut over nagedacht. Ik had geen enkel plan. Ik wilde alleen dat het ophield. Dat ze de mensen van wie ik hield met rust lieten. Ik sloot mijn ogen. Dat ze niet aan Fonfon en Honorine kwamen. Dat was alles wat ik wilde.

En die klootzak van een hoerenzoon koud maken.

'Ik bel later terug. Dan zal ik 't vertellen. Ciao.'

'Fabio...'

De rest hoorde ik niet. Ik had opgehangen.

Ik zette 'Zikr' nog een keer op. Die muziek. Om de onrust die me beheerste tot bedaren te brengen. De haat te kalmeren die ik niet kon sussen. Ik streek licht over de ring die ik van Didier Perez had gekregen en vertaalde voor mezelf nog eens het gebed, volgens mij, van Abdullah Ibrahim.

Ja, ik hou van dit ongedwongen leven en ik wil het leven in vrijheid. Insjallah, Montale.

# 12

## Waarin de vraag rijst naar het levensgeluk in een samenleving zonder moraal

Ik liet mijn blik door de bokszaal gaan. Alles was me er vertrouwd. De ring, de geur, het flauwe licht. De bokszakken, de boksbal, de halters. De gelige muren met de affiches. Alles was precies zoals we het de dag ervoor hadden achtergelaten. De handdoeken op de bank, de bandage aan de rekstok.

Ik hoorde de stem van Takis, de vader van Mavros.

'Kom op, jongen, naar voren!'

Hoe oud was ik? Twaalf misschien. Mavros had tegen me gezegd: 'Mijn vader gaat je trainen.' In mijn hoofd wemelde het van de beelden van Marcel Cerdan. Mijn idool. Ook van mijn vader. Ik droomde ervan bokser te worden. Maar bokser worden, leren boksen, betekende in de eerste plaats mijn fysieke angst overwinnen, klappen leren opvangen en ze leren uitdelen. Respect afdwingen. Op straat was dat onontbeerlijk. Zo was de vriendschap tussen Manu en mij begonnen, met stompen. Rue de Refuge, in Le Panier. Op een avond waarop ik mijn mooie nichtje Gélou naar huis bracht. Hij had mij voor Rital uitgemaakt, die kloot van een Spanjool. Een voorwendsel. Om de knokpartij te beginnen en de aandacht van Gélou te trekken.

'Vooruit, slaan!' zei Takis.

Ik had geslagen, angstvallig.

'Harder, potjandorie. Harder! Toe maar, ik ben 't gewend.'

Hij hield me zijn wang voor zodat ik zou slaan. Dat had ik gedaan. En toen nog een keer. Een goed geplaatste directe. Dat had Takis Mavros gewaardeerd.

'Toe maar, jongen.'

Ik had nog een keer geslagen, met kracht ditmaal, en hij had een ontwijkende beweging gemaakt. Mijn neus was hard in botsing gekomen met zijn harde, gespierde schouder. Het bloed begon te stromen en enigszins versuft had ik toegekeken hoe er vlekken ontstonden in de ring.

De ring zat onder het bloed.

Ik kon mijn ogen er niet van losmaken. Verdomme, Georges, we hebben zelfs de tijd niet genomen om nog een laatste keer door te zakken.

'Montale.'

Hélène Pessayre had haar hand op mijn schouder gelegd. De warmte van haar handpalm verbreidde zich door heel mijn lichaam. Dat voelde goed. Ik draaide me naar haar om. Ik las een zweem van triestheid in haar blik, en veel woede.

'We gaan praten.'

Ze keek om zich heen. Het krioelde in de zaal. Ik had de twee agenten ontdekt die samen met haar een team vormden. Alain Béraud had zijn hand naar me opgestoken. Een vriendschappelijk gebaar.

'Daarheen', wees ik naar een klein vertrek dat als bureau van Mavros dienst deed.

Vastberaden liep ze erheen. Vanochtend droeg ze een watergroenkleurige spijkerbroek en een zwart T-shirt, large, dat haar billen bedekte. Vandaag moest ze gewapend zijn, bedacht ik.

Ze deed de deur open en liet me binnengaan. Ze sloot de deur achter zich. Een fractie van een seconde keken we elkaar aan. We waren bijna even groot. Voordat ik zelfs maar de tijd had om een sigaret te pakken, gaf ze me een klap recht in mijn gezicht. Door zowel haar heftigheid als mijn verbazing daarover liet ik mijn sigaretten vallen. Ik bukte me om ze op te rapen. Aan haar voeten. Mijn wang brandde. Ik ging rechtop staan en keek haar aan. Ze vertrok geen spier.

'Daar had ik zin in', zei ze koel.

En vervolgens, op dezelfde toon: 'Ga zitten.'

Ik bleef staan.

'Dit is de eerste klap die ik heb gekregen. Van een vrouw, bedoel ik.'

'Als je wilt dat het de laatste is, moet je me alles vertellen, Montale. Ik heb respect voor je door wat ik van je weet. Maar ik ben Loubet niet. Ik heb geen tijd om je overal te laten volgen of hypothesen op te stellen over wat je allemaal weet. Ik wil de waarheid horen. Ik heb een hekel aan leugens, zoals ik je gisteren al heb verteld.'

'En dat je het me niet zou vergeven als ik tegen je loog.'

'Je krijgt een tweede kans.'

Twee doden, twee kansen. De laatste. Als een laatste leven. Onze blikken trotseerden elkaar. Het was nog geen oorlog tussen ons.

'Alsjeblieft', zei ik.

Ik legde de vijf diskettes van Babette op tafel. De eerste serie kopieën die Cyril vannacht voor me had gemaakt. In de tijd dat Sébastien en zijn maten me naar de nieuwe Marseillaanse rapgroepen lieten luisteren. Mijn culturele kennis hield op bij IAM en Massilia Sound System. Het scheen dat ik achterliep.

Ze lieten me kennismaken met Le Fonky Family, jongeren uit Le Panier en Belsunce – die hadden samengewerkt met Les Bads Boys de Marseille – en met Le Troisième Œil, die plotseling uit het niets uit de noordelijke wijken te voorschijn waren gekomen. Ik was niet bepaald dol op rap, maar ik stond altijd paf over wat ermee verteld werd. De trefzekerheid van de woordkeus. De kwaliteit van de teksten. Zij zongen alleen maar over het leven van hun vrienden, op straat of in het huis van bewaring. En over de zachte dood. Of over de pubers die eindigen in een psychiatrisch ziekenhuis. Een realiteit waar ik jarenlang mee te maken had gehad.

'Wat is dat?' vroeg Hélène Pessayre, zonder de diskettes aan te raken.

De meest actuele bloemlezing over de activiteiten van de maffia. Waarmee je van Marseille tot Nice de zaak in de hens kunt steken.

'Zo erg?' vroeg ze, met opzet ongelovig.

'Zo erg dat wanneer je ze leest, je er daarna moeite mee zult hebben om in de gangen van het politiebureau rond te lopen. Je zult je afvragen wie je in de rug zal schieten.'

'Zijn er politieagenten bij betrokken?'

Ze verloor niets van haar kalmte. Ik weet niet wat voor krachten zij in zich had, maar niets leek haar van haar stuk te brengen. Net als Loubet. Het tegengestelde van mij. Misschien kwam het wel daardoor dat het me nooit gelukt was een goeie diender te worden. Ik was veel te gevoelig.

'Hopen mensen zijn erbij betrokken, politici, industriëlen, ondernemers. Er staat op wie ze zijn, hoeveel ze gebeurd hebben, op welke bank hun poen staat, het rekeningnummer. Alles. Wat betreft de politie...'

Ze was gaan zitten en ik volgde haar voorbeeld.

'Heb je een sigaret voor me?'

Ik hield haar mijn pakje voor, en een vuurtje. Ze legde haar hand licht op de mijne zodat ik mijn aansteker dichterbij zou houden.

'En de politie?' pakte ze de draad weer op.

'Je kunt wel zeggen dat het tussen hen en de maffia goed botert. Met de uitwisseling van informatie.'

Jarenlang, rapporteerde Babette in haar stuk over de Var, had Jean-Louis Fargette van politieagenten voor veel geld de afgetapte telefoongesprekken van bepaalde politici gekocht. Alleen maar om er zeker van te zijn dat ze volgens de regels te werk gingen met de provisies die hem toekwamen. Om ze onder druk te kunnen zetten, in het geval dat. Want sommige van die gesprekken betroffen het privé-leven. Hun gezinsleven.

Hun seksuele afwijkingen. Prostitutie. Pedofilie.

Hélène Pessayre nam een lange trek van haar sigaret. À la Lauren Bacall. Nog naturel ook. Haar gezicht was naar mij gekeerd, maar haar ogen staarden in de verte. In een elders waar haar redenen lagen om bij de politie te gaan.

'En wat nog meer?' vroeg ze, haar blik op mij richtend.

'Alles wat je altijd al hebt willen weten. Kijk...'

Voor mij zag ik een ander fragment van het onderzoek dat Babette begonnen was te schrijven. 'De legale en illegale praktijken raken meer en meer vervlochten, waarbij een fundamentele verandering wordt geïntroduceerd in de structuren van het naoorlogse kapitalisme. De maffia's investeren in legale bedrijven en omgekeerd kanaliseren die financiële middelen naar de criminele economie, vanuit een meerderheidsbelang in banken of commerciële ondernemingen die betrokken zijn bij het witwassen van zwart geld of die relaties hebben met criminele organisaties.

De banken beweren dat deze transacties te goeder trouw zijn uitgevoerd en dat hun directeuren onbekend zijn met de oorsprong van de gedeponeerde fondsen. De grote banken stemmen niet alleen in met het witwassen van geld, in ruil voor grote provisies, maar tegen hoge rente verlenen ze ook leningen aan de criminele maffia's ten koste van productieve industriële of agrarische investeringen.'

'Er bestaat', schreef Babette verder, 'een nauwe relatie tussen de schuld in de wereld, de illegale commercie en het witwassen van geld. Sinds de schuldencrisis begin jaren tachtig is de prijs van grondstoffen gekelderd, met een dramatische achteruitgang van de ontwikkelingslanden tot gevolg. Door het effect van de bezuinigingsmaatregelen, gedicteerd door de internationale schuldeisers, zijn ambtenaren ontslagen, nationale ondernemingen verkwanseld, investeringen in de publieke sector bevroren en leningen aan boeren en industriëlen gereduceerd. Met de toenemende werkloosheid en de verlaging van de salarissen bevindt de legale economie zich in een crisis.'

Nou zijn we er, had ik 's nachts gedacht, toen ik deze zin las. Bij die menselijke ellende die nu reeds alle vakjes vulde met wat de toekomst wordt genoemd. Met hoeveel was de boete gestegen voor die huismoeder die een biefstuk had gestolen in de supermarkt? Tot hoeveel maanden gevangenisstraf waren die jongens in Straatsburg veroordeeld voor gebroken busruiten en vernielde bushokjes in de stad?

De woorden van Fonfon waren me weer te binnen geschoten. Een krant zonder moraal is geen krant. Precies, en een maatschappij zonder moraal is geen maatschappij meer. Een land zonder moraal ook niet. Het was veel eenvoudiger de politie de werklozencomités in de nationale arbeidsbureaus te laten verwijderen dan de wortels van het kwaad aan te pakken. Die smeerlapperij die de menselijkheid tot op het bot aantastte.

Bernard Bertossa, de procureur-generaal van Genève, verklaarde aan het eind van zijn onderhoud met Babette: 'Al twee jaar lang hebben we nu het geld dat afkomstig is van een drugstransactie in Frankrijk, bevroren. De daders zijn veroordeeld, maar de Franse justitie heeft nog altijd geen verzoek om restitutie bij me ingediend, ondanks onze herhaaldelijke kennisgeving.'

Ja, nu waren we er, op het nulpunt van de moraal.

Ik keek naar Hélène Pessayre.

'Het zou te lang duren het uit leggen. Lees het, als je kunt. Ik ben gestopt bij de lijst met namen. Niet moedig genoeg om het vervolg te weten. Ik was er niet zeker van of ik daarna nog gelukkig zou kunnen zijn als ik vanaf mijn terras naar de zee kijk.'

Ze had geglimlacht.

'Hoe kom je aan die diskettes?'

'Van een vriendin. Een bevriend journaliste. Babette Bellini.

De laatste jaren is ze met dit onderzoek bezig geweest. Een obsessie.'

'Welk verband is er met de dood van Sonia De Luca en Georges Mavros?'

'De maffia is Babettes spoor kwijtgeraakt. Ze willen haar vinden. Om bepaalde documenten terug te krijgen. Bepaalde lijsten, denk ik, waarop de namen genoemd worden van de banken, de nummers van de persoonlijke rekeningen.'

Gedurende een halve seconde sloot ik mijn ogen. Lang genoeg om Babettes gezicht voor me te zien, haar glimlach. Daarna zei ik: 'Om haar vervolgens neer te knallen, vanzelfsprekend.'

'En wat is jouw rol hierin?'

'De moordenaars hebben me gevraagd haar te zoeken. Om me aan te sporen vermoorden ze degenen van wie ik hou. Ze zijn in staat daarmee door te gaan, tot en met de personen die me werkelijk heel na staan.'

'Hield je van Sonia?'

Haar stem had alle hardheid verloren. Hier zat een vrouw die met een man praatte. Over een man en een andere vrouw. In goede verstandhouding, bijna.

Ik haalde mijn schouders op.

'Ik wilde haar graag terugzien.'

'Is dat alles?'

'Nee, dat is niet alles', antwoordde ik koel.

'Wat nog meer?'

Ze hield aan, zonder kwade bedoelingen. Me dwingend te vertellen wat ik die nacht had gevoeld. Mijn maag trok samen.

'Het steeg uit boven het verlangen dat een vrouw kan opwekken!' zei ik met stemverheffing. 'Begrijp je? Ik dacht dat er tussen haar en mij misschien iets mogelijk zou kunnen zijn. Samenwonen, bijvoorbeeld.'

'In één avond?'

'Eén avond of honderd, één blik of duizend, dat verandert niks.'

Ik had zin om te schreeuwen, nu.
'Montale', mompelde ze.
En dat kalmeerde me. De intonatie die ze gebruikte om mijn naam te noemen, die alle blijdschap, alle gelach van haar zomers in Algiers in zich leek te dragen.
'Volgens mij weet je meteen of dat, wat er tussen twee mensen gebeurt alleen maar is om aan je gerief te komen, of om iets op te bouwen. Denk je ook niet?'
'Ja, dat denk ik ook', zei ze zonder haar ogen van me af te wenden. 'Ben je ongelukkig, Montale?'
Nou nog mooier! Stond het ongeluk op mijn gezicht te lezen? Sonia had het laatst tegen Honorine gezegd. Hélène Pessayre zei het recht in mijn gezicht. Had Lole op dit punt de laden van het geluk in mijn lichaam leeggehaald? Had ze werkelijk al mijn dromen meegenomen? Al mijn redenen van bestaan? Of lag het eenvoudigweg aan mij dat ik ze niet meer in mezelf kon vinden?
Toen Pascale was vertrokken, had Mavros tegen me gezegd: 'Ze heeft de bladzijden met een krankzinnige snelheid omgeslagen, weet je. Vijf jaar plezier, blijdschap, scheldpartijen soms, van liefde, tederheid, nachten, wakker worden, siësta's, dromen, reizen... Dat allemaal, tot het beslissende woord. Dat ze zelf, eigenhandig heeft geschreven. Ze heeft het schrift met zich meegenomen. En ik...'
Hij huilde. Ik luisterde in stilte. Weerloos bij zoveel leed.
'En ik heb geen reden meer om te leven. Pascale is de vrouw van wie ik het meest heb gehouden. De enige, Fabio, de enige, verdomme! Tegenwoordig doe ik de dingen zonder gevoel. Omdat ze gedaan moeten worden. Omdat dat het leven is. Dingen doen. Maar in mijn hoofd is er niks meer. Net zomin als in mijn hart.'
Met zijn vinger had hij tegen zijn hoofd getikt, daarna op zijn hart.
'Niks.'

Ik had niets weten te antwoorden. Helemaal niets. Omdat er geen antwoord op was. Dat wist ik toen Lole me had verlaten.

Die avond had ik Mavros mee naar mijn huis genomen. Na vele stops in havencafés. Van het Café de la Mairie naar de Bar de la Marine. Met een lange stop bij Hassan. Ik had hem op de bank neergelegd, met mijn fles Lagavulin binnen handbereik.

'Denk je dat 't lukt?'

'Ik heb alles wat ik nodig heb', had hij gezegd, op de fles wijzend.

Vervolgens was ik naast Lole gaan liggen. Zacht en warm. Mijn geslacht tegen haar billen. Ik hield haar vast zoals een kind dat leert zwemmen zich vastklampt aan zijn band. Met wanhoop. De liefde van Lole zorgde ervoor dat ik mijn hoofd boven water kon houden. Niet kopje-onder ging. Niet door de stroom werd meegevoerd.

'Geef je geen antwoord?' vroeg Hélène Pessayre.

'Ik wil een advocaat.'

Ze schoot in de lach. Dat deed me goed.

Er werd op de deur geklopt.

'Ja.'

Het was Béraud. Haar teamgenoot.

'We zijn klaar, commissaris.' Hij keek me aan. 'Kan hij hem identificeren?'

'Ja', zei ik. 'Ik zal het doen.'

Hij sloot de deur weer.

Hélène Pessayre stond op en liep een paar passen door het kleine kantoor. Toen ging ze voor me staan.

'Als je Babette Bellini vindt, vertel je 't me dan?'

'Ja', antwoordde ik zonder aarzelen, haar recht in de ogen kijkend.

Ik stond eveneens op. We stonden tegenover elkaar, net als zo-even voordat ze me een oorvijg gaf. De essentiële vraag lag op mijn tong.

'En wat doen we dan? Als ik haar vind?'

Voor de eerste keer voelde ik een lichte verwarring bij haar. Alsof ze zojuist de woorden had geraden die gingen volgen.

'Je stelt haar onder bescherming. Niet? Totdat je de moordenaars hebt gearresteerd, als je daarin slaagt. En dan? Als er andere moordenaars komen? En weer andere?'

Dat was mijn manier om dreunen uit te delen. Te zeggen wat voor de politie ondenkbaar is. De onmacht.

'Voor het zover is word je niet naar Saint-Brieuc in Bretagne overgeplaatst, zoals Loubet, maar naar Argenton-sur-Creuse, in de Indre!'

Ze verbleekte en ik had spijt dat ik me tegenover haar zo had laten gaan. Het kinderachtige gedrag waarmee ik met een paar vervelende opmerkingen wraak nam op de klap die ze me had gegeven.

'Het spijt me.'

'Heb je een idee, een plan?' vroeg ze me op koude toon.

'Nee, niets. Alleen de behoefte om die kerel die Sonia en Georges heeft gedood voor me te hebben. En 'm af te maken.'

'Dat is echt idioot.'

'Misschien. Maar dat is de enige gerechtigheid voor dat soort rotzakken.'

'Nee,' verduidelijkte ze, 'het is echt idioot dat je je leven waagt.'

Zacht richtten haar donkere ogen zich op mij.

'Behalve als je zo ongelukkig bent.'

# 13

## Waarin anderen iets uitleggen veel gemakkelijker is dan jezelf begrijpen

De sirenes van de brandweer haalden me ruw uit mijn slaap. De lucht die door het raam binnenkwam rook branderig. Een warme, misselijkmakende geur. Later hoorde ik dat de brand was ontstaan in een vuilnisbelt. In Septèmes-les-Vallons, een gemeente die in het noorden aan Marseille grensde. Vlak bij het appartement van Georges Mavros.

Ik had tegen Hélène Pessayre gezegd: 'Ik word gevolgd. Ik ben ervan overtuigd. Sonia heeft me laatst thuisgebracht. Ze heeft bij me geslapen. Ze hebben haar alleen maar hoeven volgen toen ze naar huis ging. Ik heb ze naar Mavros geleid. Als ik straks of morgen een maat op ga zoeken, komt hij op hun lijst te staan.'

We waren nog steeds in Mavros' kantoor. Om te proberen een plan op poten te zetten. Om me los te maken uit de bankschroef waarin ik gevangen zat. De moordenaar zou vanavond terugbellen. Dit keer zou hij feiten verwachten. Dat ik hem zou vertellen waar Babette was of iets dergelijks. Als ik hem geen zekerheid gaf, zou hij weer iemand doden. En dat kon Fonfon of Honorine zijn als hij niemand anders uit mijn vriendenkring te pakken kon krijgen.

'Ik zit vast', loog ik.

Dat was nog geen uur geleden.

'Ik kan geen stap zetten zonder het leven van een van mijn dierbaren in de waagschaal te stellen.'

Ze keek me aan. Ik begon haar blikken te kennen. In deze

was haar vertrouwen niet volledig. Er bleef een twijfel.

'Dat is een geluk, uiteindelijk.'

'Wat?'

'Dat je geen stap meer kunt zetten', antwoordde ze met een vleugje ironie. 'Nee, ik bedoel dat het feit dat ze je schaduwen hun zwakke punt is.'

Ik begreep waar ze heen wilde. Dat beviel me niet echt.

'Ik kan je niet volgen.'

'Montale! Hou op met me voor een idioot te verslijten. Je weet heel goed wat ik bedoel. Zij volgen jou en wij zullen hen op de hielen zitten.'

'En jullie grijpen ze bij het eerste het beste rode licht.'

Onmiddellijk betreurde ik mijn woorden. Er trok een verdrietig waas over haar ogen.

'Sorry, Hélène.'

'Geef me een sigaret.'

Ik gaf haar mijn pakje.

'Koop je ze nooit zelf?'

'Jij hebt ze altijd. En... we zien elkaar vaak, nietwaar?'

Ze zei het zonder glimlach. Op vermoeide toon.

'Montale,' vervolgde ze zacht, 'we komen nergens samen als je niet een beetje...'

Ze zocht naar woorden terwijl ze een lange trek van haar sigaret nam.

'...Als je niet gelooft in wie ik ben. Ik bedoel niet in de agente die ik ben. Nee, in de vrouw die ik ben. Ik dacht dat je dat na ons gesprek langs de zee begrepen zou hebben.'

'Wat zou ik begrepen moeten hebben?'

De woorden ontsnapten me. Ze waren nog niet uitgesproken, of ze begonnen in mijn hoofd te resoneren. Bitter. In die vreselijke nacht dat Lole me vertelde dat alles voorbij was, had ik precies hetzelfde gezegd. De jaren gingen voorbij en ik bleef altijd dezelfde vragen stellen. Of beter gezegd, niets van het leven begrijpen. 'Als je steeds weer terugkomt op dezelfde plek', had ik op een avond tegen Mavros gezegd, nadat Pascale weg was, 'draai je in een kringetje rond. Je bent verdwaald...' Hij had zijn hoofd geschud. Hij draaide in kringetjes rond. Hij was verdwaald. Het is veel gemakkelijker dat soort dingen aan anderen uit te leggen dan ze zelf te begrijpen, overwoog ik.

Hélène Pessayre glimlachte op dezelfde manier als Lole toentertijd. Haar antwoord verschilde iets.

'Waarom heb je geen vertrouwen in vrouwen? Wat hebben ze je gedaan, Montale? Hebben ze je niet genoeg gegeven? Hebben ze je teleurgesteld? Hebben ze je pijn gedaan, is dat het?'

Wederom bracht deze vrouw me van mijn stuk.

'Misschien. Pijn gedaan wel, ja.'

'Ik ben ook teleurgesteld in mannen. Ik heb ook geleden. Zou ik daarom een hekel aan jou moeten hebben?'

'Ik heb geen hekel aan jou.'

'Ik zal je iets zeggen, Montale. Soms, als je naar me kijkt, raak ik daar helemaal van ondersteboven. En voel ik een zee van emoties in me opkomen.'

'Hélène', probeerde ik haar te onderbreken.

'Hou je mond, verdorie! Als jij naar een vrouw kijkt, naar mij of een andere, ga je rechtstreeks naar de kern. Maar je gaat erheen met je vrees, je twijfel, je angsten, al die rotzooi waar je hart door wordt beklemd en die maakt dat je zegt: "Het kan niet goed gaan, het zal niet goed gaan." Nooit met de zekerheid van een mogelijk geluk.'

'Geloof jij in het geluk?'

'Ik geloof in een goede verstandhouding tussen mensen. Tussen mannen en vrouwen. Zonder vrees, dus zonder leugens.'

'Ja. En waar brengt dat ons?'

'Naar het volgende: waarom wil je die kerel zo graag overhoopschieten, die moordenaar?'

'Om Sonia. En nu ook om Mavros.'

'Mavros kan ik inkomen. Dat was je vriend. Maar Sonia? Ik heb het al een keer gevraagd. Hield je van haar? Voelde je dat je die nacht van haar hield? Je hebt me geen antwoord gegeven. Alleen gezegd dat je haar graag wilde terugzien.'

'Ja, ik wilde haar terugzien. En dat...'

'En dat misschien of waarschijnlijk... dat wil je toch zeggen? Zoals gewoonlijk. Niet? En je gaat naar haar toe met een deel van jezelf dat niet in staat is haar verwachtingen te begrijpen, haar verlangens. Heb je ooit weleens kunnen geven? Alles aan een vrouw geven?'

'Jawel', zei ik, denkend aan mijn liefde voor Lole.

Hélène Pessayre keek me vol genegenheid aan. Net als die middag op het terras bij Ange, toen ze haar hand op de mijne had gelegd. Maar ook deze keer zou ze niet zeggen ik hou van je. Of in mijn armen wegkruipen. Dat wist ik zeker.

'Je gelooft het zelf, Montale. Maar ik geloof je niet. En die vrouw heeft het ook niet geloofd. Je hebt haar niet in vertrouwen genomen. Je hebt niet tegen haar gezegd dat je in haar geloofde. En het ook niet laten zien. In ieder geval niet voldoende.'

'Waarom zou ik jou mijn vertrouwen geven?' zei ik. 'Want daar wil je heen. Vraag je dat van me? Jou in vertrouwen te nemen?'

'Ja. Eén keer in je leven, Montale. Een vrouw. Mij. En dan zal het wederkerig zijn. Als wij samen een plan uitwerken, wil ik zeker van je zijn. Wil ik zeker zijn van de redenen waarom je die kerel wilt doden.'

'Zou jij me hem laten doden?' vroeg ik verbaasd. 'Jij?'

'Als het geen haat of wanhoop is wat je beweegt. Als het uit liefde is. De liefde die je voor Sonia begon te voelen, ja. Weet je, ik heb een behoorlijk groot zelfvertrouwen. En ook een sterk moreel gevoel. Maar... Hoelang denk je dat Giovanni Brusca, de wreedste moordenaar van de maffia, heeft gekregen?'

'Ik wist niet dat hij gearresteerd was.'

'Een jaar geleden. Bij hem thuis. Hij zat spaghetti te eten met zijn gezin. Zesentwintig jaar. Hij had rechter Falcone vermoord, met TNT.'

'En een kind van elf.'

'Zesentwintig jaar maar. Ik zou geen enkele wroeging voelen als die kerel, die moordenaar, zou creperen in plaats van voor de rechter te komen. Maar... zover zijn we nog niet.'

Nee, zover waren we nog niet. Ik stond op. Ik hoorde nog steeds overal brandweersirenes. De lucht was scherp, walgelijk. Ik sloot het raam. Ik had een halfuur op het bed van Mavros geslapen. Hélène Pessayre en haar team waren vertrokken. En ik was, met haar toestemming, naar de flat van Mavros gegaan, boven de bokszaal. Daar moest ik wachten. Tot er een ander team kwam om de wagen van de heren die me schaduwden te lokaliseren. Want daar twijfelden we niet aan, ze stonden voor de deur of daar vlakbij.

'Heb je de middelen om dat te doen?'

'Ik zit met twee lijken.'

'Heb je de hypothesen over de maffia in je rapport gezet?'

'Nee, natuurlijk niet.'

'Waarom niet?'

'Omdat het onderzoek me dan vast en zeker wordt afgenomen.'

'Je neemt een risico.'

'Nee. Ik weet precies wat ik doe.'

Mavros' flat was perfect in orde. Het was bijna ziekelijk. Alles was zoals voor het vertrek van Pascale. Toen ze wegging had ze nagenoeg niets meegenomen. Een paar prulletjes. Snuisterijen die ze van Mavros had gekregen. Wat vaatwerk. Een paar cd's, enkele boeken. De tv. De stofzuiger die ze net gekocht hadden.

Van vrienden van hen samen, Jean en Bella, kon ze tegen een bescheiden huur de kleine, geheel gemeubileerde eengezinswoning huren die ze in de Rue Villa-Paradis hadden, een rustig stukje Marseille, ter hoogte van de Rue Breteuil. Hun derde kind was net geboren en het smalle huis van twee verdiepingen was te klein voor hen geworden.

Pascale was onmiddellijk verliefd geworden op het huis. De straat was nog dorpsachtig en zou dat waarschijnlijk nog vele jaren blijven. Mavros, die er niets van begreep, had ze uitgelegd: 'Ik ga niet bij je weg om Benoît. Ik ga weg om mezelf. Ik wil over mijn leven nadenken. Niet over het onze. Over het mijne. Misschien zie ik je op een keer zoals ik je moet zien, zoals ik je vroeger zag.'

Mavros had van deze flat de doodskist van zijn herinneringen gemaakt. Het leek of het bed, waar ik me zojuist volkomen uitgeput op neer had laten vallen, sinds het vertrek van Pascale nooit meer beslapen was geweest. Ik begreep nu beter waarom hij zo'n haast had om een vriendin te vinden: om niet hier te hoeven slapen.

Het meest trieste was de plee. Achter een glazen plaat hingen, tegen elkaar aangeplakt, de mooiste foto's uit hun gelukkige jaren. In gedachten zag ik voor me hoe Mavros 's ochtends, 's middags en 's avonds stond te pissen, terwijl hij het mislukken van zijn leven voorbij zag trekken. Dat had hij toch ten minste weg moeten halen, dacht ik bij mezelf.

Ik haalde de plaat van de muur en zette hem voorzichtig op de grond. Eén bepaalde foto van hen lag me na aan het hart. Lole had hem gemaakt, in een zomer toen we bij vrienden in La Ciotat waren. Georges en Pascale lagen op een tuinbank te slapen. Het hoofd van George lag op Pascales schouder. Ze ademden vrede. Geluk. Ik maakte hem voorzichtig los en stopte hem in mijn portemonnee.

De telefoon ging over. Het was Hélène Pessayre.

'Het is zover, Montale. Mijn mannen zijn ter plekke. Ze hebben ze ontdekt. Ze staan voor het flatgebouw nummer 148. Een metallic blauwe Fiat Punto. Ze zijn met z'n tweeën.'

'Oké', zei ik.

Ik voelde me bedrukt.
'Houden we ons aan wat we afgesproken hebben?'
'Ja.'
Ik had wat spraakzamer moeten zijn, er een paar woorden aan toe moeten voegen. Maar ik had net de oplossing gevonden om Babette zonder risico te ontmoeten, en buiten iedereen om. Hélène Pessayre inbegrepen.
'Montale?'
'Ja?'
'Gaat 't?'
'Jawel. Waar zijn al die brandweerauto's voor?'
'Een enorme brand. Hij is begonnen in Septèmes, maar hij schijnt zich te verspreiden. Er zou een nieuwe haard ontstaan zijn in Plan-de-Cuques, maar meer weet ik er niet van. Het ergste is dat de blusvliegtuigen vanwege de mistral aan de grond moeten blijven.'
'Kloteweer,' zei ik. Ik haalde diep adem. 'Hélène?'
'Wat?'
'Voordat ik naar huis ga, zoals we hebben afgesproken, moet ik... moet ik eerst nog langs een oude vriend.'
'Wie?'
Er was een lichte twijfel in haar stem geslopen.
'Hélène, het is geen streek. Hij heet Félix. Hij had een restaurant in de Rue Casserie. Ik had beloofd hem op te zoeken. We gaan vaak samen vissen. Hij woont in Vallon-des-Auffes. Ik moet erheen voordat ik naar huis ga.'
'Waarom heb je dat daarstraks niet gezegd?'
'Ik dacht er net pas aan.'
'Bel hem op.'
'Hij heeft geen telefoon. Sinds zijn vrouw dood is en hij met pensioen is gegaan wil hij met rust gelaten worden. Als je hem wilt bellen, moet je een boodschap achterlaten bij de pizzeria op de hoek.'
Dat was allemaal waar. Ik voegde er nog aan toe: 'En hij

hoeft me niet te horen, hij wil me zien.'

'Ik begrijp 't.'

Ik dacht dat ik haar de voors en tegens hoorde afwegen.

'En hoe doen we dat?'

'Ik zet mijn auto neer op de parkeerplaats van het Centre-Bourse. Ik ga het winkelcentrum in, ga er weer uit en neem een taxi. Ik heb ongeveer een uur nodig.'

'En als ze je volgen?'

'Dan zie ik wel.'

'Oké.'

'Tot later.'

'Montale, als je Babette Bellini op het spoor mocht zijn? Vergeet me dan niet.'

'Ik vergeet je niet, commissaris.'

Een dikke zwarte zuil van rook steeg op boven de noordelijke wijken. De warme lucht drong mijn longen binnen en ik bedacht dat we hier verschillende dagen mee zouden moeten leven als de mistral niet af zou nemen. Trieste dagen. Het bos dat in brand stond, de planten, en zelfs het schraalste struikgewas, het was een drama voor deze regio. Iedereen herinnerde zich nog de vreselijke brand van augustus 1989, waarbij vijfendertighonderd hectaren op de helling van de Sainte-Victoire werden verwoest.

Ik stapte de eerste de beste bar in en bestelde een biertje. Net als zijn klanten hield de waard zijn oor gekluisterd aan Radio France Provence. Het vuur was wel degelijk overgesprongen en zette nu de groenstrook rond het dorpje Plan-de-Cuques in vlam. Er werd begonnen met het evacueren van de bewoners van afgelegen villa's.

Ik overdacht nog een keer mijn plan om Babette in veiligheid te brengen. Het hield prachtig stand. Op één voorwaarde: dat de mistral zou gaan liggen. En de mistral kon een, drie, zes of negen dagen waaien.

Ik dronk mijn glas leeg en liet me nog een keer inschenken. De teerling is geworpen, dacht ik. We zouden wel zien of ik nog een toekomst had. Zo niet, dan was er vast wel een plekje onder de grond waar ik met Manu, Ugo en Mavros onbezorgd een potje kon klaverjassen.

# 14

## Waarin de exacte betekenis van de uitdrukking 'een doodse stilte' wordt herontdekt

Ik reed weg. En achter mij zou de stoet zich in beweging zetten. De auto van de maffiosi. Die van de politie. In andere omstandigheden zou ik het wel amusant gevonden hebben dat ik geschaduwd werd. Maar mijn hoofd stond niet naar lachen. Mijn hoofd stond nergens naar. Gewoon doen wat ik had besloten. Zonder enig gevoel. Mezelf kennende wist ik dat hoe minder gevoelens ik toeliet, hoe meer kans ik had mijn plan tot een goed einde te brengen.

Ik was uitgeput. Mavros' dood nestelde zich in mij. Rustig. Zijn lijk maakte een bed van mijn lichaam. Ik was zijn doodskist. Door het uurtje slaap was de grote stroom gevoelens die me had overweldigd toen ik zijn gezicht voor de laatste keer had gezien, afgevoerd.

Met een zelfverzekerd gebaar had Hélène Pessayre het bovenste gedeelte van Mavros' gezicht ontbloot. Tot aan zijn kin. Met een steelse blik had ze me aangekeken. Het was slechts een formaliteit dat ik hem identificeerde. Ik had me langzaam over Georges' lichaam gebogen. Vol genegenheid. Met mijn vingertoppen had ik zijn grijzende haar gestreeld, en vervolgens zijn voorhoofd gekust.

'Vaarwel, ouwe jongen', zei ik met opeengeklemde kaken.

Hélène Pessayre had haar arm door de mijne gestoken en me snel mee naar de andere kant van de zaal genomen.

'Heeft hij familie?'

Na de dood van haar man was zijn moeder, Angélica, teruggegaan naar Nauplion, in het zuiden van de Peloponnesos. Zijn oudste broer Panayotis woonde al twintig jaar in New York. Ze hadden elkaar nooit meer gezien. Andréas, de jongste van de drie, was in Fréjus gaan wonen. Maar Georges had al tien jaar ruzie met hem. Zijn vrouw en hij hadden in '81 op de socialisten gestemd, maar waren afgegleden naar het rechtse RPR en vervolgens naar het Front National. En ik had geen zin om Pascale te bellen. Ik wist zelfs niet eens meer of ik haar nieuwe telefoonnummer had bewaard. Ze was uit Mavros' leven verdwenen. En tegelijkertijd ook uit het mijne.

'Nee', loog ik. 'Ik was zijn enige vriend.'

De laatste.

Nu was er in Marseille helemaal niemand meer die ik kon bellen. Natuurlijk waren er nog genoeg mensen die ik graag mocht, zoals Didier Perez en een paar anderen. Maar niemand tegen wie ik kon zeggen: 'Weet je nog...' Dat was vriendschap, die optelsom van gemeenschappelijke herinneringen die je op tafel zette, vergezeld door een mooie gegrilde zeewolf met venkel. Alleen door dat 'Weet je nog...' kun je in vertrouwen je intiemste leven vertellen, die gebieden in jezelf waar meestal verwarring heerst.

Jarenlang had ik Mavros overstelpt met mijn twijfels, mijn vrees, mijn angsten. Hij maakte me vaak gek met zijn zekerheden, zijn halsstarrige meningen, zijn scherpe opvattingen. En als we, afhankelijk van onze stemming, een of twee flessen wijn hadden opgedronken, kwamen we altijd tot de conclusie dat van welke kant je het leven ook bekeek, je onveranderlijk aan de kant terechtkwam waar vreugde en verdriet een eeuwige loterij waren.

Toen ik bij het Centre-Bourse aankwam, handelde ik volgens plan. Zonder veel problemen vond ik een parkeerplaats op het tweede niveau ondergronds. Vervolgens nam ik de roltrap naar het winkelcentrum. De koele lucht van de airconditioning trof me aangenaam. Ik had er best de rest van de middag door willen brengen. Het was druk. De mistral had de Marseillanen van het strand verjaagd en iedereen doodde zijn tijd naar beste vermogen. Met name de jongeren. Ze konden naar de meisjes gluren en dat was goedkoper dan naar de bioscoop gaan.

Ik durfde te wedden dat een van de twee handlangers van de maffia me zou volgen. Ik durfde eveneens te wedden dat hij er niet blij mee zou zijn me op de afdeling te zien rondhangen waar de zomeruitverkoop werd gehouden. Nadat ik dan ook een poosje tussen de overhemden en de broeken had rondgeslenterd, ging ik met de roltrap naar de tweede etage. Daar overspande een metalen voetgangersbrug de Rue Bir Hakeim en de Rue des Fabres. Met een andere roltrap kon je op de Canebière komen. Dat deed ik, zo nonchalant mogelijk.

De taxistandplaats was vlakbij, en vijf chauffeurs stonden voor hun wagen wanhopig op een klant te wachten.

'Ziet u dat?' vroeg een chauffeur, naar zijn voorruit wijzend.

Er was een dun laagje roet op neergeslagen. Toen merkte ik pas dat het as sneeuwde. De brand moest enorm zijn.

'Verdomde brand!' zei ik.

'Verdomde mistral, ja! Er is brand en niemand kan iets doen. Ik weet al niet meer hoeveel brandweermannen en hulptroepen eropuit gestuurd zijn. Vijftienhonderd, achttienhonderd... Maar het begint overal. Zelfs tot Allauch aan toe.'

'Allauch!'

Dat was een andere gemeente die aan Marseille grensde. Zo'n duizend inwoners. Het vuur had de groenstrook rondom de stad in vlam gezet, het bos met zich meeslepend. Het zou nog meer dorpen op zijn weg vinden. Simiane, Mimet...

'En dan zijn ze ook nog allemaal ingezet om de mensen en de woningen te beschermen.'

Altijd hetzelfde liedje. De inspanning van de brandweer, het uitstrooien van het water door de blusvliegtuigen – als ze konden vliegen – concentreerde zich in de eerste plaats op de bescherming van de villa's, de nieuwbouwwijkjes. Je kon je afvragen waarom er geen strenge voorschriften bestonden. Waar de aannemers zich aan moesten houden. Massieve luiken. Vernevelingsinstallaties. Waterreservoirs. Brandgangen. Vaak konden de brandweerauto's zelfs niet tussen de huizen en de vuurfronten door.

'Wat zeggen ze over de mistral?'

'Dat-ie vanavond zou gaan liggen. Afnemen, in ieder geval. God, als dat eens waar mocht zijn.'

'Inderdaad', zei ik peinzend.

Ik dacht aan de brand. Natuurlijk. Maar niet alleen aan de brand.

'Je kunt er niet zeker van zijn, Fabio', zei Félix tegen me.

Félix was verrast toen ik onverwacht binnen kwam vallen. En dan ook nog 's middags. Ik zocht hem eens in de twee weken op. Meestal nadat ik uit het café van Fonfon kwam. Ik ging het aperitief bij hem drinken. We kletsten een paar uur. De dood van Céleste had hem erg aangepakt. In het begin dachten we dat Félix niet meer wilde leven. Hij at niet meer en weigerde naar buiten te gaan. Hij wilde zelfs niet meer gaan vissen en dat was echt een slecht teken.

Félix was gewoon een zondagsvisser. Maar hij hoorde bij de gemeenschap van vissers van Vallon-des-Auffes. Een gemeenschap van Italianen, uit de regio van Rapallo, Santa Margerita en Maria del Campo. En samen met Bernard Grandona en Gilbert Georgi was hij een van de oprichters van het feest van de kleine zelfstandige schippers. Met Sint-Petrus. Vorig jaar had Félix me in zijn punter meegenomen om de ceremonie bij te wonen, ter hoogte van de grote pier. Misthoorn, een regen van bloemen en bloemblaadjes ter herinnering aan degenen die op zee waren omgekomen.

Honorine, de jeugdvriendin van Céleste, en Fonfon, losten mij om de beurt af om Félix gezelschap te houden. In het weekend nodigden we hem uit op het eten. Ik ging hem halen en bracht hem weer thuis. Toen kwam hij op een zondagmorgen met de boot bij mij. Hij bracht de vis mee die hij had gevangen. Een mooie vangst. Goudbrasem, regenboogvis en zelfs een paar harders.

'Potverdorie!' lachte hij, toen hij de trappen van mijn terras opklom, 'je hebt de houtskool nog geeneens aangestoken!'

Voor mij was dat moment ontroerender dan het feest van de Heilige Petrus. Een feest waarin het leven zegevierde op de dood. Daar hadden we naar behoren op gedronken en voor de zoveelste keer vertelde Félix dat zijn grootvader, toen hij wilde trouwen, zijn vrouw in Rapallo ging zoeken. Voordat hij was uitverteld, riepen Honorine, Fonfon en ik in koor: 'En hijs de zeilen, alsjeblieft!'

Hij had ons stomverbaasd aangekeken.

'Ik zit te zeuren, niet?'

'Welnee, Félix, dat is geen zeuren', antwoordde Honorine. 'Herinneringen kun je duizend keer vertellen. Dat is het mooiste in het leven. Je deelt ze met elkaar, dat is nog beter.'

En de een na de ander stortte zijn hart uit. De middag ging ermee heen en ook een paar flessen witte Cassis. Uit Fontcreuse, die ik altijd voor goede dagen bewaarde. Daarna hadden we uiteraard over Manu en Ugo gepraat. Vanaf ons vijftiende waren we vaste bezoekers van Félix' restaurant geweest. Félix en Céleste stopten ons vol met pizza's met figatelli, spaghetti met tapijtschelpjes en lasagnette met Provençaalse kwark. Daar ook leerden we voor altijd wat een goede bouillabaisse was. Zelfs Honorine slaagde er niet in haar vriendin Céleste met dit gerecht te verslaan. Manu was vijf jaar geleden doodgeschoten toen hij het restaurant Chez Félix verliet. Maar precies voor dat moment stopten onze herinneringen. Ugo en Manu leefden nog steeds. Ze waren alleen niet bij ons en we misten ze. Net als Lole.

Félix had 'Maruzzella' ingezet, het favoriete lied van mijn vader. In koor zongen we het refrein en iedereen kon zijn tranen vergieten om de geliefden die er niet meer waren. *Maruzzella, o Maruzzella...*

Félix keek me aan met achter in zijn ogen dezelfde angst als Honorine en Fonfon konden hebben als ze vermoedden dat er ellende boven mijn hoofd hing. Hij zat voor het raam toen ik aankwam, zijn blik op zee gericht, zijn collectie stripboeken van *Les Pieds Nickelés* naast hem op tafel. Dat was het enige wat hij las, en hij herlas ze voortdurend. En hoe meer tijd er verstreek, hoe meer hij op Ribouldingue ging lijken; in ieder geval zijn baard.

We spraken over de brand. Ook in Vallon-des-Auffes regende het asbrokjes. En Félix bevestigde dat de brand zich verplaatst had naar Allauch. Van de brandweercommandant van het departement zelf had hij zojuist op het nieuws gehoord dat we op een catastrofe afstevenden.

Hij bracht twee biertjes mee.

'Heb je problemen?' vroeg hij.

'Ja', antwoordde ik. 'En niet zo zuinig ook.'

En ik vertelde hem het hele verhaal.

Van maffia en gangsters wist Félix het nodige af. Charles Sartène, een oom van zijn vrouws kant, was een van de bodyguards van Mémé Guérini geweest. De onbetwiste leider van de Marseillaanse onderwereld van na de oorlog. Zo voorzichtig mogelijk vertelde ik hem van Sonia. Toen van Mavros. Hun dood. Toen legde ik hem uit dat boven aan de ladder het leven van Honorine en Fonfon op het spel stond. Het leek wel of zijn rimpels dieper werden.

Daarna legde ik hem uit hoe ik bij hem was gekomen, de voorzorgsmaatregelen die ik had genomen om de moordenaars van me af te schudden. Hij haalde zijn schouders op. Hij wendde zijn ogen van me af om ze, als was hij een wandelaar, te laten rusten op het haventje van Vallon-des-Auffes. Je was daar ver verwijderd van het rumoer van de wereld. Een haven van rust. Net als Les Goudes. Een van die plekken waarin Marseille wordt gecreëerd in de blik waarmee ernaar wordt gekeken.

In mijn hoofd weerklonken dichtregels van Louis Brauquier:

*Ik ben op weg naar de mensen van mijn stilte*
*Langzaam, naar hen bij wie ik zwijgen kan;*
*Ik ben van ver, treed binnen en ga dan zitten.*
*Ik kom halen wat ik nodig heb om weer weg te gaan.*

Félix richtte zijn blik weer op mij. Zijn ogen waren wat wazig, alsof hij vanbinnen had gehuild. Hij gaf geen commentaar.

'Waar kom ik in dit hele verhaal kijken?' vroeg hij eenvoudig.

'Ik heb bedacht', begon ik, 'dat de veiligste manier om Babette te ontmoeten op zee is. Die kerels hebben zich verdekt opgesteld bij mij voor de deur. Als ik er 's nachts met de boot op uit ga, zullen ze niet achter me aan komen. Ze zullen wachten tot ik terugkom. De vorige keer ging het ook zo.'

'Ja.'

'Ik heb tegen Babette gezegd dat ze hierheen moet komen. Jij neemt haar mee naar Frioul. En ik zie jullie daar. Ik breng eten en drinken mee.'

'Denk je dat ze akkoord gaat?'

'Om te komen?'

'Nee, met wat jij in je hoofd hebt. Dat ze ervan afziet haar onderzoek te publiceren... Of in ieder geval de dingen die zoveel mensen in opspraak brengen.'

'Ik weet 't niet.'

'Het verandert er niks aan. Ze vermoorden haar evengoed. En jou ook. Dat soort lieden...'

Félix had nooit kunnen begrijpen hoe je moordenaar kon worden. Moordenaar van beroep kon zijn. Daar had hij het vaak met me over gehad. Over zijn relatie met Charles Sartène.

Of Oom, zoals ze hem in de familie noemden. Een innemend type. Aardig. Attent. Félix had geweldige herinneringen aan familiereünies, met Oom aan het hoofd van de tafel. Altijd zeer elegant. En de kinderen die op zijn schoot kwamen zitten. Op een dag, een paar jaar voor zijn dood had hij tegen Antoine, een van zijn neven die journalist wilde worden, gezegd: 'Nou! Als ik jonger was, ging ik naar *Le Provençal*, ik legde er een paar om op de bovenste verdieping en je zou zien, jongen, dat ze je onmiddellijk aan zouden nemen.'

Iedereen had gelachen. Félix, die toen zo'n negentien jaar oud geweest moet zijn, had die woorden nooit vergeten. Noch het gelach dat erop volgde. Hij weigerde naar de begrafenis van Oom te gaan en hij had voor altijd gebroken met zijn familie. Hij had er nooit spijt van gehad.

'Dat weet ik', antwoordde ik. 'Maar dat risico moet ik nemen, Félix. Als ik eenmaal met Babette heb gepraat, zie ik verder. En ik handel niet alleen. Ik heb 't er met iemand van de politie over gehad...'

Vrees en woede vermengden zich in zijn blik.

'Bedoel je dat je 't er met de politie over hebt gehad?'

'Niet met de politie. Met één persoon. Een vrouw. Degene die de moord op Sonia en Mavros onderzoekt.'

Hij haalde zijn schouders op, net als daarstraks. Wat vermoeider misschien.

'Als de politie erbij betrokken is, doe ik niet mee, Fabio. Dat maakt alles gecompliceerder. En het verhoogt de risico's. Verdomme, je weet toch, hier...'

'Wacht nou even, Félix. Je kent me toch? Goed. De politie is van later zorg. Als ik Babette heb gesproken. Als we zullen besluiten wat we met de documenten doen. Die vrouw, de commissaris, weet nog helemaal niet dat Babette komt. Ze doet net als de moordenaars. Ze wacht. Ze wachten allemaal tot ik Babette gevonden heb.'

'Goed dan', zei hij.

Hij keek weer uit het raam. De asvlokken werden steeds dikker.

'Het is langgeleden dat we hier sneeuw hebben gehad. Maar we hebben dit. Die smerige brand.'

Hij keek weer naar mij en toen naar het album van *Les Pieds Nickelés* dat open voor hem lag.

'Goed dan', zei hij nogmaals. 'Maar die verdomde mistral zal op moeten houden. Anders kunnen we niet weg.'

'Ja, dat weet ik.'

'Kun je haar niet hier ontmoeten?'

'Nee, Félix. Die truc van het Centre-Bourse kan ik niet nog eens uithalen. Die niet en ook geen andere. Ze zullen nu wantrouwig zijn. En dat wil ik niet. Ik wil dat ze me vertrouwen.'

'Droom jij lekker verder!'

'Niet vertrouwen, verdomme. Je snapt wat ik bedoel, Félix. Dat ik eerlijk spel speel. Dat ze werkelijk denken dat ik maar een stomme lul ben.'

'Ja', zei hij nadenkend. 'Zeg tegen Babette dat ze kan komen. Ze kan hier slapen. Zolang de mistral duurt. Zo gauw we de zee op kunnen, bel ik Fonfon. In het café. Goed, en zeg tegen Babette dat ze kan komen wanneer ze wil. Ik ga niet weg.'

Ik stond op. Hij ook. Ik legde mijn arm om zijn schouder en trok hem tegen me aan.

'Het komt wel goed', mompelde hij. 'We redden 't wel. We hebben 't altijd gered.'

'Dat weet ik.'

Ik hield hem nog altijd tegen me aan en hij maakte zich niet los. Hij had begrepen dat ik hem nog iets wilde vragen. Ik stelde me voor dat er een knoop in zijn maag begon te ontstaan. Omdat ik bij mijzelf hetzelfde voelde, op dezelfde plek.

'Félix', zei ik. 'Heb je die blaffer van Manu nog altijd?'

De geur van de dood vulde het vertrek. Ik voelde de exacte betekenis van de uitdrukking 'een doodse stilte'.

'Ik heb hem nodig, Félix.'

# 15

## Waarin de nadering van een gebeurtenis een leegte creëert die een aanzuigende werking heeft

Ze belden na elkaar. Eerst Hélène Pessayre, toen de moordenaar. Daarvoor had ik zelf Babette gebeld. Maar bij Fonfon vandaan. Félix had me aan het denken gezet toen hij zei dat hij naar Fonfon zou bellen en niet naar mij. Hij had gelijk, ik kon worden afgeluisterd. Daar was Hélène Pessayre toe in staat. En als de smerissen op mijn lijn waren aangesloten, zou alles wat ik zou kunnen zeggen uiteindelijk in het oor van een maffioso terechtkomen. Als je maar betaalde, zoals Fargette jarenlang had gedaan. Een prijs afspreken. En voor de lieden die voor mijn deur kampeerden moest de prijs geen probleem zijn.

Met een snelle blik had ik geprobeerd ze in de straat te lokaliseren. De doders en de dienders. Maar ik had Fiat Punto noch Renault 21 gezien. Dat betekende helemaal niets. Ze moesten er zijn. Ergens.

'Kan ik even bellen?' had ik aan Fonfon gevraagd toen ik de bar binnenkwam.

Het uitvoeren van mijn plan nam me volledig in beslag. Zelfs als het later, nadat ik Babette had ontmoet, met haar had gepraat, nog steeds compleet duister zou blijven. Haar naderende komst veroorzaakte een soort leegte die me onvermijdelijk naar zich toe trok.

Fonfon zette de telefoon op de bar.

'Ga je gang', mopperde hij. 'Het lijkt het postkantoor wel, alleen bel je hier gratis en krijg je er een pastis bij.'

'O, toe nou, Fonfon!' zuchtte ik. Ik was bezig Bruno's

nummer in de Cevennen te draaien.

'Had je wat? Je lijkt tegenwoordig wel een windvlaag. Je bent nog sneller dan de mistral. En áls je er bent, niks. Je legt niks uit. Je vertelt niks. We weten alleen dat overal waar jij langskomt lijken achterblijven. Verdomme, Fabio!'

Langzaam legde ik de hoorn neer. Fonfon had twee pastis ingeschonken, twee *mominettes.* Hij zette een glas voor me neer, hief het zijne en dronk zonder op mij te wachten.

'Hoe minder je weet...' begon ik.

Hij explodeerde.

'Nee, meneer! Zo doen we dat niet! Nu niet meer. Het is afgelopen! Leg uit, Fabio! Want de tronie van die kerel die in de Fiat Punto wortel zit te schieten, die heb ik gezien. Van net zo dichtbij als ik jou nu zie, vat je. We liepen langs elkaar heen. Hij kwam saffies kopen bij Michel. En hij keek me aan op een manier, dat vertel ik je maar niet.'

'Iemand van de maffia.'

'Ja... Maar ik bedoel... zijn smoel, dat had ik al eens gezien. En nog niet zo lang geleden.'

'Wat! Hier?'

'Nee. In de krant. Zijn foto stond erin.'

'In de krant?'

'O Fabio, kijk jij nooit plaatjes als je de krant leest?'

'Jawel, natuurlijk wel.'

'Nou, hij stond er met een foto in. Ricardo Bruscati. Ricchie voor vrienden. Ze hadden het weer over hem toen er al die ophef was rondom dat boek over de moord op dat parlementslid, Yann Piat.'

'Naar aanleiding waarvan? Herinner je je dat nog?'

Hij haalde zijn schouders op.

'Weet ik veel. Dat zou je aan Babette moeten vragen, die zou 't moeten weten', zei hij boosaardig, me in de ogen kijkend.

'Waarom begin je over Babette?'

'Omdat zij degene is die jou al die ellende op je dak stuurt.

Of vergis ik me soms? Honorine heeft 't briefje gevonden dat bij die diskettes zat. Dat had je op tafel laten liggen. Toen heeft ze 't gelezen.'

Fonfons ogen fonkelden van woede. Ik had hem nog nooit zo gezien. Schreeuwend, scheldend, schimpend, dat wel. Maar die woede in zijn ogen, nog nooit.

Hij boog zich naar me toe.

'Fabio', begon hij. Zijn stem was zachter geworden, maar klonk vastberaden. 'Als het alleen om mij ging... Dat zou me een zorg wezen, weet je. Maar Honorine is er ook nog. Ik wil niet dat haar iets ergs overkomt. Begrepen?'

Mijn maag draaide om. Zoveel liefde.

'Schenk nog 's in', was het enige wat ik wist te zeggen.

'Ik bedoel er niks kwaads mee dat ik dat zeg. Wat Babette doet moet ze zelf weten. En jij bent oud genoeg om alle stommiteiten uit te halen die je wilt. Ik ga je niet voorschrijven wat je wel of niet moet doen. Maar als die lui Honorine ook maar een haar krenken...'

Hij maakte zijn zin niet af. Alleen zijn ogen, recht in de mijne, vertelden wat hij niet onder woorden kon brengen: hij hield me verantwoordelijk voor alles wat er met Honorine zou kunnen gebeuren. Met haar persoonlijk.

'Er overkomt haar niks, Fonfon. Ik zweer 't je. En jou ook niet.'

'Oké', zei hij, niet echt overtuigd.

Maar we hieven desondanks het glas. Menens, deze keer.

'Ik zweer 't je.'

'Goed, dan praten we d'r niet meer over', zei hij.

'Jawel, we praten er wel over. Ik bel Babette en dan zal ik 't je vertellen.'

Babette stemde toe. Om te komen. Te discussiëren. Mijn plan stond haar aan. Maar aan de klank van haar stem te horen, vermoedde ik dat het geen peulenschil zou zijn haar van het publiceren van haar artikelen af te brengen. We bleven niet lang praten. De hoofdzaak was dat we de dingen onder vier ogen met elkaar zouden bespreken.

'Ik heb nieuws', zei Hélène Pessayre.

'Ik ook', antwoordde ik. 'Vertel maar.'

'Mijn mannen hebben een van die kerels geïdentificeerd.'

'Ik ook. Ricardo Bruscati.'

Stilte aan de andere kant.

'Dat verbaast je zeker?' zei ik geamuseerd.

'Nogal.'

Ik probeerde me voor te stellen hoe haar gezicht er op dit moment uitzag. De teleurstelling die erop te lezen moest zijn. Ze zou het vast niet leuk vinden dat iemand haar te snel af was.

'Hélène?'

'Ja, Montale.'

'Kijk niet zo boos!'

'Wat bedoel je?'

'Dat het toeval is, van Ricardo Bruscati. Mijn buurman, Fonfon, heeft hem herkend. Hij heeft zijn foto pasgeleden in de krant zien staan. Meer weet ik er niet van. Dus ik luister naar wat je te vertellen hebt.'

Ze schraapte haar keel. Ze was nog steeds een beetje boos.

'Het maakt 't er niet makkelijker op.'

'Wat niet?'

'Dat de tweede man Bruscati is.'

'O? We weten toch wie we voor ons hebben?'

'Nee. Bruscati komt uit de Var. Hij staat niet bekend als een koelbloedig moordenaar. Hij is een man van schietijzers, geen crack met het mes. Dat is alles. Een huurling die de boel aan kant maakt. Anders niet.'

Nu was het mijn beurt om te zwijgen. Ik begreep waar ze naartoe wilde.

'Er is nog iemand. Bedoel je dat? Een echte moordenaar van de maffia?'

'Ja.'

'Die op z'n dooie gemak zijn aperitief op het terras van hotel New York zit te drinken.'

'Precies. En ze hebben Bruscati aangenomen, die trouwens ook niet zomaar iemand is. En dat betekent dat ze niet van plan zijn iets cadeau te geven.'

'Is Bruscati betrokken bij de moord op Yann Piat?'

'Niet dat ik weet. Ik betwijfel het zelfs. Maar hij was een van degenen die met veel geweld het grote debat van Yann Piat in L'Espace 3000 in Fréjus hebben verstoord, op 16 maart '93. Herinner je je dat nog?'

'Ja. Met traangasgranaten. Fargette had daar opdracht voor gegeven. Yann Piat paste niet in zijn politieke doelstellingen.'

Dat had ik in de krant gelezen.

'Fargette', vertelde ze verder, 'bleef gokken op een kandidaat van de UDF. Met instemming van het Front National. Ondershands coördineerde hij de veiligheidsdienst in de regio, van Marseille tot Nice. Ronselaar, trainer… er staat een bestand over op de witte diskette.'

Dat bestand had ik vluchtig doorgenomen. Ik had de indruk dat ik de inhoud ervan allang her en der in de krant had gelezen. Het bevatte meer notities over zaken in de Var dan explosief materiaal. Maar ik was wat langer stil blijven staan bij de betrekkingen tussen het Front National en Fargette. Een transcriptie van telefoongesprekken tussen de Marseillaanse kaïd Daniel Savastano en hem. Een zin kwam bij me boven: 'Het zijn mensen die willen werken, die de stad weer op orde willen brengen. Ik heb tegen hem gezegd, als je vrienden hebt met een onderneming of iets dergelijks zullen we proberen ze aan werk te helpen…'

'Zou Bruscati Fargette omgelegd hebben?'

De dag na het debat was Fargette vermoord, thuis in Italië.

'Ze waren met z'n vieren.'

'Ja, dat weet ik. Maar…'

'Gissen heeft geen enkele zin. Sinds de moord op Yann Piat heeft hij een hoop mensen doodgeschoten. Lastpakken.'

'Van het type?' vroeg ik nieuwsgierig.

'Van het type Michel Régnier.'

Ik floot tussen mijn tanden. Na de dood van Fargette werd Régnier beschouwd als de peetvader van het zuiden van Frankrijk. Een peetvader die afkomstig was uit de onderwereld, niet uit de maffia. Op 30 september 1996 was hij doorzeefd met kogels, voor de ogen van zijn vrouw. Op zijn verjaardag.

'Dat vind ik essentiële informatie, dat Bruscati aanwezig is. Als hij nu hier is, is dat in opdracht van de maffia. Wat betekent dat ze de economische macht in handen hebben in de regio. Ik geloof dat dat een van de stellingen in het onderzoek van je vriendin is. Het maakt een eind aan alle speculaties over de oorlog van de "clans".'

'Economische macht, geen politieke?'

'De zwarte diskette heb ik nog niet durven openen.'

'Nee. Hoe minder we ervan weten...' zei ik opnieuw, werktuiglijk.

'Vind je dat werkelijk?'

Het leek wel of ik Babette hoorde.

'Ik vind niks, Hélène. Ik zeg alleen dat er levenden zijn en doden. En dat zich onder de levenden de opdrachtgevers bevinden van degenen die dood zijn. En dat de meesten nog op vrije voeten zijn. En dat ze doorgaan met zaken doen. Tegenwoordig met de maffia, vroeger met de onderwereld van de Var en Marseille. Volg je me?'

Ze gaf geen antwoord. Ik hoorde haar een sigaret aansteken.

'Ben je iets over je vriendin Babette Bellini te weten gekomen?'

'Ik denk dat ik haar eindelijk gevonden heb', loog ik zelfverzekerd.

'Ik ben geduldig. Zij zijn dat zeker niet. Ik wacht je telefoontje af... Ter zake, Montale, nadat je het Centre-Bourse had verlaten, heb ik het team vervangen. Omdat je naar huis ging, wilden we niet het risico lopen dat we gezien werden. Het is nu een witte Peugeot 304.'

'Juist', zei ik. 'Ik wil je om een gunst vragen.'

'Ga je gang.'

'Omdat je de middelen hebt, zou ik graag permanente bewaking willen hebben van het huis van Honorine en het café van Fonfon daar vlakbij.'

Stilte.

'Daar moet ik over nadenken.'

'Hélène. Ik ga je niet chanteren. Het een voor het ander. Dat is mijn stijl niet. Als het verkeerd gaat... Maar ik wil niet de lijken van die twee moeten omhelzen. Ik hou meer van ze dan van wie ook. Ik heb alleen hen nog, begrijp je?'

Ik sloot mijn ogen om aan ze te denken. Aan Fonfon en Honorine. Het gezicht van Lole schoof voor dat van hen. Ook van haar hield ik meer dan van wie ook. Ze was mijn vrouw niet meer. Ze woonde ver van hier, met een andere man. Maar ze bleef, net als Fonfon en Honorine, het belangrijkste wat ik op aarde had. De betekenis van de liefde.

'Akkoord', zei ze. 'Maar niet eerder dan morgenochtend.'

'Bedankt.'

Ik wilde ophangen.

'Montale?'

'Ja.'

'Ik hoop dat deze beroerde geschiedenis snel is afgelopen. En... dat... dat we er als vrienden uitkomen. Ik bedoel... dat ik hoop dat je me een keer bij je thuis uit wilt nodigen, om met Honorine en Fonfon te eten.'

'Dat hoop ik ook, Hélène. Echt. Ik zal je graag een keer uitnodigen.'

'Wees ondertussen voorzichtig.'

En ze hing op. Te snel. Daardoor hoorde ik de lichte fluittoon die erop volgde. Ik werd afgeluisterd. Het kreng!

dacht ik, maar zonder de tijd te krijgen nog iets anders te denken of van haar laatste woorden na te genieten. De telefoon rinkelde opnieuw en ik wist dat de stem van mijn gespreks-partner bij lange na niet zo verwarrend zou zijn als die van Hélène Pessayre.

'Heb je wat te vertellen, Montale?'

Ik had besloten me gedeisd te houden. Geen opmerkingen. Geen humor. Gedwee. Type mak schaap, uitgerangeerd.

'Ja, ik heb Babette aan de lijn gehad.'

'Goed. Was zij net aan de telefoon?'

'Nee, de politie. Ze laten me niet meer met rust. Twee van mijn bekenden dood, dat is te veel voor ze. Ze leggen me op de grill.'

'Tja. Dat is jouw probleem. Wanneer heb je haar gebeld, steekneus? Tijdens je slippertje, vanmiddag?'

'Inderdaad.'

'Weet je zeker dat ze niet in Marseille is?'

'Hand op mijn hart. Over twee dagen kan ze hier zijn.'

Hij was even stil.

'Ik geef je twee dagen, Montale. Er staat nog een naam op de lijst. En dat zal je charmante commissaris niet leuk vinden, dat is zeker.'

'In orde. Hoe pakken we 't aan, als ze er is?'

'Dat zal ik je vertellen. Zeg tegen die kleine Bellini dat ze niet met lege handen komt. Oké, Montale? Ze heeft iets wat ze ons moet teruggeven, snap je wel, Montale?'

'Ja, ik heb 't er met haar over gehad.'

'Goed. Je gaat vooruit.'

'En de rest? Haar onderzoek?'

'De rest kan ons geen flikker schelen. Ze kan schrijven wat ze wil, waar ze wil. Da's voor de kat z'n kut, zoals altijd.'

Hij moest vreselijk lachen, vervolgens werd zijn stem zo snijdend als het mes dat hij met zoveel behendigheid han-teerde: 'Twee dagen.'

Het enige waar ze in geïnteresseerd waren, was wat er op de zwarte diskette stond. Die noch Hélène Pessayre, noch ik durfde te openen. In het document dat ze begonnen was te schrijven, legde Babette uit: 'De witwascircuits blijven hetzelfde en passeren in deze regio een "zakencollege". Een soort forum waarin gedeputeerden met beslissingsbevoegdheid, ondernemers en vertegenwoordigers van de maffia zitting hadden.' Ze maakte de lijst op van een zeker aantal 'gemengde maatschappijen', opgericht door de maffia en geleid door notabelen.

'Nog één ding, Montale. Zo'n streek als vanmiddag lever je me niet nog 'n keer. Begrepen?'

'Ik heb 't begrepen.'

Ik liet hem ophangen. Dezelfde fluittoon. Een pastis was geboden. En muziek. Een gouwe ouwe van Nat King Cole. 'The Lonesome Road'. Met Anita O'Day als gastster. Ja, dat had ik nodig voor ik naar Fonfon en Honorine ging. We eten groentenfarce, had ze aangekondigd. De smaak van courgette, tomaten en aubergine op die manier klaargemaakt zou de dood op een afstand houden. Vanavond had ik de aanwezigheid van die twee meer dan ooit nodig.

# 16

## Waarin je zonder het te willen meespeelt op het schaakbord van het kwaad

Aan tafel werd ik bevangen door twijfel.

De groentenfarce was echter heerlijk. Honorine, moest ik erkennen, wist buitengewoon goed hoe ze ervoor moest zorgen dat het vlees en de groenten zacht bleven. Dat was het hele verschil met de groentenfarce in restaurants. Het vlees was altijd iets te knapperig aan de bovenkant. Behalve misschien bij Sud du Haut, een klein restaurant aan de Cours Julien waar de familiekeuken nog in ere werd gehouden.

Desondanks kon ik mezelf er tijdens het eten niet van weerhouden te denken aan de situatie waarin ik me nu bevond. Voor het eerst leefde ik met twee moordenaars en twee dienders voor de deur. Het Goed en het Kwaad, met toestemming voor mijn huis geparkeerd. In een status-quo. Met mij ertussenin. Als een vonk in het kruitvat. Had ik aan die vonk gedacht nadat Lole was weggegaan? Een laatste vonk maken van mijn dood? Ik begon te transpireren. Mochten Babette en ik er al in slagen aan het mes van de moordenaar te ontkomen, Bruscati zou ons niet missen met zijn blaffer.

'Zal ik nog 'ns opscheppen?' vroeg Honorine.

Vanwege de mistral zaten we binnen. Hij was afgenomen, dat zeker, maar hij woei nog met sterke rukwinden. Op het nieuws hadden we gehoord dat het vuur rond heel Marseille om zich heen greep. In één dag waren bijna tweeduizend hectaren Aleppodennen en struikgewas in rook opgegaan. Een drama. De nieuwe aanplant van nauwelijks vijfentwintig jaar geleden was erin meegesleept. Alles moest weer opnieuw worden gedaan. Het werd al een collectief trauma genoemd. En de discussies kregen vaart. Moest Marseille een bufferzone instellen langs de achttien kilometer lange bosrand van het Massif de L'Étoile en de bebouwde kom? Een zone met amandelbomen, olijfbomen en wijngaarden? Ja, maar wie zou dat betalen? Daar kwam het in deze maatschappij altijd op neer. Op de poen. Zelfs in de ergste omstandigheden. Op de poen. Eerst de poen.

Bij de kaas was de wijn op en Fonfon wilde nieuwe in het café gaan halen.

'Ik ga wel', zei ik.

Er klopte iets niet en ik wilde er het mijne van weten. Ook al zou het me niet aanstaan. Ik kon niet wennen aan het idee dat Hélène Pessayre me zou laten afluisteren. Ze was ertoe in staat, natuurlijk, maar het strookte niet met hetgeen ze tegen me gezegd had voordat ze ophing. Die mogelijke vriendschap die ze had opgeroepen. Maar het was vooral omdat ze als de vakvrouw die ze was niet als eerste zou hebben opgehangen.

In de bar van Fonfon greep ik de telefoon en belde Hélène Pessayre op haar mobiele telefoon.

'Hallo', zei ze.

Muziek op de achtergrond. Een Italiaanse zanger.

*un po' di là del mare c'è una terra chiara*
*che di confini e argini non sa*

'Met Montale. Stoor ik?'

*un po' di là del mare c'è una terra chiara*

'Ik kom net onder de douche vandaan.'

Onmiddellijk trokken er beelden voor mijn ogen langs. Wellustig. Sensueel. Voor de eerste keer betrapte ik mezelf erop dat ik met begeerte aan Hélène Pessayre dacht. Ze liet me niet onverschillig, verre van dat – en ik wist het – maar onze verhouding was zo gecompliceerd, zo gespannen bij tijden, dat er geen plaats was voor gevoelens. Dat dacht ik tenminste. Tot nu. Mijn geslacht volgde me in deze heimelijke beelden. Ik glimlachte. Ik ontdekte opnieuw hoe plezierig het was om een stijve te krijgen wanneer je aan een vrouwelijk lichaam dacht.

'Montale?'

Ik was nooit een voyeur geweest, maar ik mocht Lole graag betrappen als ze onder de douche vandaan kwam. Op het moment dat ze een badhanddoek pakte en die om haar lichaam wikkelde. Mij slechts een blik gunnend op haar benen en schouders waarop nog een paar druppels water parelden. Zodra ik hoorde dat de kraan werd dichtgedraaid, had ik altijd wel iets te doen in de badkamer. Ik wachtte op het moment dat ze haar haren omhoog deed voor ik naar haar toeging. Hoe laat het ook was, dat was het moment dat ik haar het meest begeerde. Ik hield van haar lach als onze ogen elkaar in de spiegel ontmoetten. En de rilling die door haar heen trok als ik met mijn lippen haar hals beroerde. Lole.

*un po' di là del mare c'é una terra sincera*

'Ja', zei ik, mijn gedachten en geslacht tot de orde roepend. 'Ik wil je iets vragen.'

'Dat moet dan wel belangrijk zijn', antwoordde ze lachend. 'Gezien het tijdstip.'

Ze zette het geluid zachter.

'Het is serieus, Hélène. Laat je m'n telefoon afluisteren?'

'Wat!?'

Ik had het antwoord. Dat was nee. Zij was het niet.

'Hélène, ik word afgeluisterd.'

'Sinds wanneer?'

Een rilling trok langs mijn ruggengraat. Want dat had ik me niet afgevraagd. Sinds wanneer? Als het sinds vanochtend was, waren Babette, Bruno en zijn gezin in gevaar.

'Dat weet ik niet. Ik heb het vanavond pas gemerkt, na jouw telefoontje.'

Toen ik Babette had gebeld, had zij toen als eerste opgehangen, of ik? Ik wist het niet meer. Ik moest het me herinneren. De tweede keer was ik het. De eerste keer... De eerste keer zij. 'Krijg 't heen en weer!' had ze me toegevoegd. Nee, toen was die typische fluittoon er nog niet geweest. Dat wist ik zeker. Maar kon ik echt zeker van mezelf zijn? Nee. Ik moest naar Le Castellas bellen. Onmiddellijk.

'Heb je Babette Bellini vanavond met je eigen toestel gebeld?'

'Nee. Vanochtend. Hélène, wie kan er verantwoordelijk zijn voor het afluisteren?'

'Je hebt me niet verteld dat je wist waar ze was.'

Ze was onverbiddelijk, deze vrouw. Zelfs naakt, gewikkeld in een badlaken.

'Ik heb je verteld dat ik haar had gelokaliseerd.'

'Waar is ze?'

'In de Cevennen. En ik probeer haar ervan te overtuigen dat ze naar Marseille moet komen. Verdomme, Hélène, dit is ernstig.'

Ik wond me op.

'Je moet je niet opwinden als je op een fout wordt betrapt, Montale! We hadden in drie uur daar boven kunnen zijn.'

'En wat zouden we dan gehad hebben?' schreeuwde ik. 'Een auto-optocht? Precies ja! Jullie, ik, de moordenaars, nog meer dienders, nog meer moordenaars... In ganzenpas, zoals vanmiddag toen ik de bokszaal van Mavros verliet!'

Ze gaf geen antwoord.

'Hélène,' zei ik, rustiger, 'het is geen gebrek aan vertrouwen. Maar jij kunt nergens zeker van zijn. Niet van je meerderen.

Niet van de agenten die met je samenwerken. Het bewijs...'

'Maar mij, verdomme, mij!' schreeuwde ze op haar beurt. 'Mij had je het toch kunnen vertellen?'

Ik sloot mijn ogen. De beelden die voor mijn ogen dansten waren niet meer die van Hélène Pessayre die uit de badkamer kwam, maar van de commissaris die me vanmorgen een klap had verkocht.

Ze had gelijk, ik maakte geen vorderingen.

'Je hebt geen antwoord gegeven op mijn vraag. Wie kan erachter zitten, bij jullie?'

'Ik weet 't niet', zei ze. 'Ik weet 't niet.'

De stilte werd zwaar.

'Wie is die zanger die ik hoorde?' vroeg ik, om de spanning te breken.

'Gian Maria Testa. Mooi, hè', antwoordde ze met vermoeide stem. 'Montale,' voegde ze eraan toe, bijna vastberaden, 'ik kom naar je toe.'

'Daar komen praatjes van', zei ik voor de grap.

'Wil je liever dat ik je op het bureau laat komen?'

Ik zette twee flessen rode wijn op tafel, van het Domaine de Villeneuve Flayosc, in Roquefort-la-Bédoule. Een wijn waarmee Michel, een Bretonse vriend, ons de vorige winter had laten kennismaken. Château-les-Mûres. Een geweldig meesterwerk van smaak.

'Hij stierf zeker van de dorst', merkte Honorine op.

Om me erop te wijzen dat ik wel lang was weggebleven.

'Was je verdwaald in de kelder?' deed Fonfon er een schepje bovenop.

Ik schonk hun glazen vol, daarna dat van mezelf.

'Ik moest bellen.'

En voordat ze commentaar konden geven, voegde ik eraan toe: 'De telefoon bij mij thuis wordt afgeluisterd. Door de politie. En ik moest Babette terugbellen.'

Babette was die middag vertrokken, had Bruno me verteld. Ze zou bij vrienden van haar in Nîmes overnachten. Morgen, aan het eind van de ochtend, zou ze de trein naar Marseille nemen.

'Waarom ga je niet een poosje op vakantie, Bruno? Jij en je gezin?'

Ik moest aan Mavros denken. Tegen hem had ik precies hetzelfde gezegd. Bruno antwoordde nagenoeg op dezelfde wijze. Iedereen dacht dat hij sterker was dan het kwaad. Alsof het kwaad een buitenlandse ziekte was. Terwijl het ons allen tot op het bot aanvrat, van hoofd tot hart.

'Er zijn te veel dieren waar ik voor moet zorgen...'

'Bruno, verdomme, je vrouw en kinderen dan tenminste. Die kerels zijn tot alles in staat.'

'Dat weet ik. Maar mijn makkers en ik bewaken alle toegangswegen naar de berg. En', voegde hij er na een stilte aan toe, 'we zijn gewapend.'

Mei '68 tegen de maffia. Ik stelde me de film voor en dat deed me verstijven van afgrijzen.

'Bruno,' zei ik, 'we kennen elkaar niet. Ik draag je een warm hart toe. Om wat je voor Babette hebt gedaan. Haar opvangen, risico nemen...'

'Er valt hier niks te vrezen', onderbrak hij me. 'Als je wist...'

Hij begon me op mijn zenuwen te werken, met zijn allriskverzekeringen.

'Verdomme, Bruno! We hebben 't over de maffia!'

Ik moest hem ook de keel uithangen, want hij kapte ons gesprek af.

'Oké, Montale. Ik zal erover nadenken. Bedankt voor 't bellen.'

Langzaam dronk Fonfon zijn glas leeg.

'Ik dacht dat je vertrouwen had in die vrouw. De commissaris.'

'Zij is 't niet. En ze weet ook niet wie de opdracht ervoor heeft gegeven.'

'Zo', zei hij eenvoudig.

En ik had een vermoeden van de stijgende ongerustheid die hem beving. Hij keek lang naar Honorine. Tegen haar gewoonte in was ze vanavond niet erg spraakzaam. Ook zij maakte zich ongerust. Maar om mij. Ik was de laatste. Manu. Ugo. De laatste van de drie. De laatste overlevende van de smeerlapperij die de kinderen opvrat die zij op had zien groeien, van wie zij had gehouden, van wie zij hield als een moeder. Ik wist dat ze het niet zou overleven als ik zou verdwijnen.

'Maar wat is dat toch voor verhaal over Babette?' vroeg Honorine tenslotte.

'Het verhaal van de maffia. Je weet waar het begint,' zei ik, 'maar je weet niet waar het eindigt.'

'Al die afrekeningen, waarover je op de televisie hoort?'

'Ja, zo ongeveer.'

Sinds de dood van Fargette was het een slachtpartij geweest. Zoals Hélène Pessayre had gezegd, zou Bruscati daar niet vreemd aan zijn. Ik zag de macabere lijst weer voor me. Glashelder. Henri Diana, van dichtbij doodgeschoten in oktober '93. Noël Dotori, slachtoffer van een schietpartij in oktober '94. Net als José Ordioni, in december '94. Toen in '96, Michel Régnier en Jacky Champourlier, de twee trouwe luitenants van Fargette. De lijst eindigde met de dood, onlangs, van Patrice Meillan en Jean-Charles Taran, een van de laatste kopstukken uit de onderwereld van de Var.

'In Frankrijk', ging ik verder, 'hebben ze de activiteiten van de maffia veel te lang gebagatelliseerd. En zich alleen beziggehouden met het gekonkel van de onderwereld, van de bandieten. Ze wendden voor dat ze in een gangsteroorlog geloofden. Nu is de maffia er. En die neemt de macht over. Op economisch gebied en... en ook politiek.'

Want om dat te begrijpen hoefde je de zwarte diskette niet te openen. Babette had geschreven: 'Dit nieuwe milieu van de internationale geldhandel vormt een vruchtbare bodem voor het criminaliseren van het politieke leven. Machtige belangengroepen, die gelieerd zijn aan de georganiseerde misdaad en clandestien te werk gaan, zijn bezig zich te ontplooien. Kortom, de misdaadsyndicaten oefenen hun invloed uit op het economische beleid van de staat.

In de nieuwe landen van de markteconomie en dus vanzelfsprekend in de Europese Unie, zijn vooraanstaande politieke en ministeriële figuren banden aangegaan met de georganiseerde misdaad. Het karakter van de staat, net als dat van de sociale structuren, is bezig te veranderen. In de Europese Unie beperkt deze situatie zich bij lange na niet tot Italië, waar de Cosa Nostra in de top van de staat een dicht netwerk heeft...'

Als Babette de specifieke situatie van Frankrijk aansneed, was ze angstaanjagend. De oorlog tegen de rechtsstaat, gesteund door gedeputeerden en industriëlen, die vanwege de enorme financiële belangen met geweld is begonnen, zal meedogenloos zijn. 'Gisteren', stelde ze, 'hebben ze een lastig Kamerlid kunnen uitschakelen, morgen kan het een hoogwaardigheidsbekleder van de staat zijn. Een prefect, een minister. Alles is mogelijk tegenwoordig.'

'We betekenen niks voor hen. Pionnetjes zijn we.'

Fonfon bleef me strak aankijken. Hij was ernstig. Zijn blik ging weer naar Honorine. Voor het eerst zag ik ze zoals ze waren. Oud en moe. Ouder en vermoeider dan ooit. Ik zou willen dat het allemaal niet bestond. Maar het bestond wel. En wij stonden, zonder het te willen, op het schaakbord van het kwaad. Maar misschien bevonden we ons daar altijd al? Een toeval, een samenloop van omstandigheden bracht dat aan het licht. Dat was Babette. Dat toeval. Die samenloop van omstandigheden. En wij werden pionnen waarmee werd gespeeld. Tot in de dood.

Sonia. Georges.

Hoe kon er een eind aan dat alles worden gemaakt?

In een door Babette geciteerd rapport van de Verenigde Naties stond: 'De versterking op internationaal niveau van de diensten die belast zijn met het doen naleven van de wet, zijn slechts een lapmiddel. Bij gebrek aan een gelijktijdige vooruitgang van de economische en sociale ontwikkeling zal de georganiseerde misdaad, op mondiale en structurele schaal, blijven bestaan.'

Hoe konden we hier uit komen? Wij, Fonfon, Honorine, Babette en ik?

'Wil je geen kaas meer? Vind je die provolone niet lekker?'

'Jawel, Honorine, hij is heerlijk. Maar...'

'Vooruit,' zei Fonfon, geforceerd vrolijk, 'een klein stukje, dan kunnen we nog wat drinken.'

Ongevraagd schonk hij mijn glas weer vol.

Ik geloofde niet in toeval. Ook niet in een samenloop van omstandigheden. Die zijn simpelweg het sein dat je aan de andere kant van de werkelijkheid bent beland. Waar geen enkel compromis met het onverdraaglijke bestaat. De gedachte van de een sluit aan bij de gedachte van de ander. Zoals in de liefde. Zoals in de wanhoop. Daarom had Babette zich tot mij gewend. Omdat ik bereid was naar haar te luisteren. Ik verdroeg het onverdraaglijke niet.

# 17

## Waarin gesteld wordt dat wraak nergens toe leidt, net zomin als pessimisme

Ik was in gedachten verzonken. Ongeordende gedachten, zoals zo vaak. Chaotisch, en gedrenkt in alcohol, uiteraard. Ik had al twee glazen Lagavulin achter mijn kiezen. Het eerste bijna in één keer achterover, toen ik terugkwam in mijn huisje.

De beelden van Sonia vervaagden in een razend tempo. Alsof ze slechts een droom was geweest. Nauwelijks drie dagen. De warmte van haar dij tegen de mijne, haar glimlach. Die magere herinneringen begonnen te rafelen. Zelfs het grijsblauw van haar ogen begon te vervagen. Ik verloor haar. En langzaam maar zeker nam Lole haar plaats in mijn gedachten weer in. Haar thuis voor altijd. Het leek alsof haar smalle lange vingers de koffers van ons gezamenlijk leven weer openmaakten. Voor mijn ogen begonnen de voorbije jaren opnieuw te dansen. Lole danste. Danste voor mij.

Ik zat op de bank. Ze had 'Amor Verdadero' opgezet, van Rubén Gonzalez. Met gesloten ogen, haar rechterhand die nauwelijks haar buik aanraakte, haar linkerhand geheven, bewoog ze bijna niet. Alleen het draaien van haar heupen gaf beweging aan haar lichaam. Aan haar hele lichaam. Dan benam haar schoonheid me de adem.

Als ze later tegen me aan lag, op diezelfde bank, ademde ik de geur in van haar klamme huid, en de warmte van haar lichaam, dat tegelijkertijd stevig en breekbaar was. We werden overweldigd door een golf van emotie. Het was het uur van de korte zinnen. 'Ik hou van je... Ik voel me zo fijn... Ik ben gelukkig... En jij?'

De plaat van Rubén Gonzalez speelde verder. 'Alto Songo', 'Los Sitio' Asere', 'Pío Mentiroso...'

De maanden, de weken, de dagen. Tot aan het aarzelend zoeken van woorden die te lange zinnen vormen. 'Ik hoop... je in mijn hart te bewaren. Ik wil je niet verliezen, niet helemaal. Ik verlang maar een ding, dat we elkaar na blijven staan, dat we van elkaar blijven houden...'

De dagen en de laatste nachten. 'Je houdt een grote plaats in mijn hart. Je zult altijd een grote plaats hebben in mijn leven...'

Lole. Haar laatste woorden. 'Laat je niet gaan, Fabio.'

En nu de dood die in de lucht hing. Zeer dicht bij me. En zijn geur die zo aanwezig was. Het enige parfum dat me 's nachts nog vergezelde. De geur van de dood.

Ik dronk mijn glas leeg, met gesloten ogen. Het gezicht van Enzo. Zijn grijsblauwe ogen. De ogen van Sonia. En de tranen van Enzo. Als ik die schurftige moordenaar af moest maken, zou het om hem zijn. Niet om Sonia. Niet om Mavros. Nee, dat besefte ik nu. Het zou om dat kind zijn. Alleen om hem. Om al die dingen die je op die leeftijd nog niet begrijpt. De dood. De scheidingen. De afwezigheid. Die grootste onrechtvaardigheid, de afwezigheid van de vader, de moeder.

Enzo. Enzo, kereltje.

Waarvoor dienden tranen als ze geen bestaansrecht vonden in het hart van een ander? In het mijne?

Ik schonk mijn glas opnieuw vol toen Hélène Pessayre op mijn deur klopte. Ik was haast vergeten dat ze zou komen. Het was bijna middernacht.

Er was een lichte onzekerheid tussen ons. Een aarzeling tussen elkaar een hand geven en elkaar omhelzen. We deden het een noch het ander, en ik liet haar binnen.

'Kom binnen', zei ik.

'Dank je.'

Ineens voelden we ons opgelaten.

'Ik zal je niet rondleiden, daar is 't te klein voor.'

'Maar veel groter dan bij mij, voorzover ik kan zien. Alsjeblieft.'

Ze gaf me een cd. Gian Maria Testa. *Extra-Muros.*

'Dan kun je hem helemaal beluisteren.'

Ik wilde bijna zeggen: 'Daarvoor had ik mezelf bij jou thuis uit kunnen nodigen.'

'Dankjewel. Nu moet je er hier bij mij naar komen luisteren.'

Ze glimlachte. Ik zei maar wat.

'Wil je ook?' vroeg ik, naar mijn glas wijzend.

'Ik heb liever wijn.'

Ik maakte een fles open, een Tempier '92, en ik schonk een glas voor haar in. We proostten en dronken in stilte. Bijna zonder elkaar aan te durven kijken.

Ze droeg een verschoten spijkerbroek en een donkerblauw overhemd, dat ver openstond, met daaronder een wit T-shirt. Het begon me nieuwsgierig te maken waarom ik haar nooit in een rok of een jurk zag. Misschien vindt ze haar benen niet mooi, dacht ik.

Mavros had daar een theorie over gehad.

'Alle vrouwen laten graag hun benen zien,' zei hij, 'zelfs al zijn 't niet die van een mannequin of een filmster. Het hoort bij het verleidingsspel. Snap je?'

'Jawel.'

Hij had gemerkt dat Pascale, nadat ze Benoît had ontmoet, alleen nog maar broeken droeg.

'Toch koopt ze nog steeds panty's. Dim Ups, zelfs. Weet je wel, die op de dij ophouden.'

Op een ochtend had hij, gedreven door verdriet, in de laatste aankopen van Pascale gesnuffeld. Zo goed en zo kwaad als het ging woonden ze de laatste weken samen, totdat Bella en Jean het huisje in de Rue Villa-Paradis hadden leeggeruimd. De vorige avond had Pascale hem verteld dat ze het weekend afwezig zou zijn. Ze droeg een spijkerbroek toen ze naar Benoît was gegaan, maar Mavros wist dat er minirokjes en panty's in haar reistas zaten. En Dim Ups.

'Stel je voor, Fabio', had hij tegen me gezegd.

Een halfuur nadat Pascale die vrijdagavond vertrokken was, had hij me wanhopig opgebeld.

Ik had moeten glimlachen om zijn woorden, verdrietig. Ik had geen enkele theorie over de redenen waarom een vrouw 's ochtends liever een rok aantrok dan een broek. Toch haalde Lole hetzelfde met mij uit. Dat moest ik bitter constateren. De laatste maanden droeg ze alleen nog maar jeans. En natuurlijk was de deur van de badkamer dicht als ze onder de douche vandaan kwam.

Ik zou het Hélène Pessayre wel willen vragen. Maar dat leek me toch al te gewaagd. En daarbij kwam dat haar blik veel te ernstig was geworden.

Ze haalde een pakje sigaretten uit haar tas en bood me er een aan.

'Je ziet dat ik ze zelf gekocht heb.'

Gedurende een paar rookkringels was het weer stil.

'Mijn vader', begon ze met zachte stem, 'is acht jaar geleden vermoord. Ik had net mijn rechtenstudie afgesloten. Ik wilde advocaat worden.'

'Waarom vertel je me dat?'

'Laatst vroeg je me of ik niks anders uit te vreten had in het leven. Weet je nog? Dan in de stront te roeren. En mijn ogen te bederven met het kijken naar lijken...'

'Ik was woedend. Woede is mijn manier om me te verweren. En vulgair worden.'

'Hij was rechter van instructie. Hij had nogal wat corruptiezaken onder handen gehad. Valse facturen. De geheime financiële ondersteuning van politieke partijen. Eén dossier had hem veel verder gevoerd dan hij had voorzien. Van de zwarte kas van een politieke partij van de vroegere meerderheid kwam hij uit bij een Panamese bank. De Xoilan Trades. Een van de banken van generaal Noriega. Gespecialiseerd in narcodollars.'

Ze vertelde het me. Langzaam. Met haar ernstige, bijna hese stem. Op een dag werd haar vader door de financiële afdeling in Parijs op de hoogte gesteld van de komst van Pierre-Jean Raymond, de Zwitserse bankier van die politieke partij. Hij liet onmiddellijk een bevel tot voorgeleiding tegen hem overhandigen. De attachékoffer van Raymond zat vol met zeer compromitterende documenten. Er waren een minister en diverse gedeputeerden bij betrokken. Raymond werd in voorlopige hechtenis geplaatst 'zonder', zoals hij zich bij zijn politieke vrienden beklaagde, 'te kunnen slapen in gezelschap van islamisten'.

'Mijn vader hield hem aan voor overtreding van de wet op de financiële ondersteuning van partijen, misbruik van sociale fondsen, misbruik van vertrouwen, vervalsing en valsheid in geschrifte. Dat allemaal dus. Daarmee werd hij de eerste Zwitserse bankier die in Frankrijk in een politieke affaire werd vervolgd.

Daar zou mijn vader het bij hebben kunnen laten. Maar hij had zich in het hoofd gezet de geldstromen binnen het bankcircuit naar de bron te herleiden. En toen is alles uit de hand gelopen. Raymond beheerde ook bankrekeningen van klanten uit Spanje en Libië, en het onroerend goed van generaal Mobutu, dat tegenwoordig verkocht is. En ook was hij eigenaar van een casino in Zwitserland, namens een concern uit Bordeaux, en beheerder van een vijftigtal Panamese maatschappijen, ten bate van Zwitserse, Franse en Italiaanse ondernemingen...'

'Een perfect schema.'

'Jouw vriendin Babette is gegaan waar mijn vader niet heeft kunnen gaan. Naar het centrum van het raderwerk. Zij neemt het zuiden van Frankrijk als voorbeeld. Maar het geldt voor de hele Europese Unie. In het bijzonder, en het is verschrikkelijk, wijst zij op de volgende onvermijdelijke realiteit: hoe minder de regeringen die het verdrag van Maastricht hebben ondertekend tegen de maffia samenwerken, hoe meer deze laatste gedijt op de mest – dat is de term die zij gebruikt – van de verouderde en strijdige nationale wetgevingen.'

'Ja,' zei ik, 'dat heb ik ook gelezen.'

Ik had daarstraks op het punt gestaan dit allemaal aan Fonfon en Honorine te vertellen. Maar, had ik overwogen, ze hadden hier al meer dan genoeg over gehoord. Het voegde niets extra's toe aan het beeld van de puinzooi waar Babette in verkeerde. En ik erbij.

Babette leverde argumenten voor haar standpunten over hooggeplaatste Europese leidinggevenden. 'Deze zwakheid van de lidstaten van Maastricht', verklaarde Diemut Theato, voorzitter van de commissie budgetbewaking, 'is des te ernstiger omdat van de Europese belastingbetalers steeds grotere offers worden gevraagd, terwijl de fraude die in 1996 aan het licht is gekomen 1,4% van het budget bedraagt.' En Anita Gradin, verantwoordelijk voor de fraudebestrijding, preciseerde: 'De misdaadorganisaties hebben als stelregel zo min mogelijk risico te lopen: ze spreiden al hun verschillende activiteiten over die lidstaten waar het risico het kleinst is.'

Ik schonk het glas van Hélène Pessayre nog eens vol.

'Hij is heerlijk', zei ze.

Ik wist niet of ze het werkelijk meende. Ze leek elders te zijn. Bij de diskettes van Babette. Ergens waar haar vader de dood had gevonden. Haar blik richtte zich op mij. Teder. Strelend. Ik verlangde ernaar haar in mijn armen te nemen, haar tegen me aan te drukken. Haar te omhelzen. Maar dat was wel het laatste wat ik moest doen.

'Er werden diverse anonieme brieven bezorgd, thuis. In de laatste stond, dat ben ik niet vergeten: "Het is zinloos voorzorgsmaatregelen te nemen voor uw naasten, of de documenten over het land te verspreiden. Er ontsnapt niets aan onze aandacht. Dus gebruik a.u.b. uw verstand en geef het op."

Mijn moeder weigerde te vertrekken, mijn broers en ik ook. We geloofden die bedreigingen niet echt. "Nog intimidaties ook", zei mijn vader. Wat hem er niet van weerhield politiebescherming te vragen. Het huis stond onder permanente bewaking. En hij werd altijd vergezeld door twee inspecteurs. Wij ook, maar discreter. Ik weet niet hoe lang we op die manier zouden hebben kunnen leven...'

Ze stopte en bestudeerde de wijn in haar glas.

'Op een avond hebben we hem gevonden, in de garage van het flatgebouw. In zijn auto, met doorgesneden keel.'

Ze sloeg haar ogen naar me op. Het waas dat de glans had weggenomen, was verdwenen. Ze hadden hun donkere licht weer terug.

'Het wapen dat ze gebruikt hadden was een mes dat aan weerskanten sneed, met een lemmet van bijna vijftien centimeter lang en iets meer dan drie centimeter breed.'

Nu was het de commissaris die sprak. Als kenner van de misdaad.

'Hetzelfde als bij Sonia De Luca en Georges Mavros.'

'Je wilt toch niet beweren dat dezelfde man...'

'Nee. Hetzelfde wapen. Hetzelfde type mes. Dat viel me op toen ik het rapport over Sonia's dood van de lijkschouwer kreeg. Dat bracht me acht jaar terug in de tijd, begrijp je?'

Ik herinnerde me wat ik haar op het terras van Ange had toegesnauwd en plotseling voelde ik me niet erg trots op mezelf.

'Het spijt me wat ik laatst tegen je heb gezegd.'

Ze haalde haar schouders op.

'Maar het is waar, ja, het is waar, ik heb niks anders te doen in het leven. Dan dat, ja. Dat wilde ik. Het is de enige reden waarom ik bij de politie ben gegaan. Om de misdaad te bestrijden. Met name de georganiseerde misdaad. Dat is mijn leven tegenwoordig.'

Hoe kon ze zo vastbesloten zijn? Ze verklaarde het zonder emotie. Nuchter.

'Je kunt niet leven om je te wreken', zei ik, want ik stelde me voor dat ze dat diep vanbinnen wilde.

'Wie had het over wraak? Ik hoef mijn vader niet te wreken. Ik wil alleen voortzetten wat hij begonnen is. Op mijn manier. In een andere functie. De moordenaar is nooit gearresteerd. Het onderzoek werd als afgedaan beschouwd. Daarom, de politie... De keuze die ik heb gemaakt.'

Ze nam een slok wijn en vervolgde: 'Wraak leidt nergens toe. Net zomin als pessimisme, zoals ik al gezegd heb. Je moet alleen vastbesloten zijn.'

Ze keek me aan en voegde eraan toe: 'En realistisch.'

Realisme. Voor mij diende dat woord alleen om het morele welbehagen te rechtvaardigen, de bekrompen handelingen en de schandelijke nalatigheden die de mens iedere dag beging. Het realisme was ook de wals waarmee degenen die de macht, of splintertjes, kruimeltjes macht bezaten in deze maatschappij, alle anderen konden vermorzelen.

Ik had geen zin om met haar in discussie te gaan.

'Geef je geen antwoord?' vroeg ze een tikkeltje ironisch.

'Realistisch zijn is je laten naaien.'

'Dat vind ik ook.'

Ze lachte.

'Het was alleen om te zien of je zou reageren of niet.'

'Tja... Ik was veel te bang om een klap te krijgen.'

Weer lachte ze. Ik hield van haar lach. Van de twee kuiltjes die dan in haar wangen te zien waren. Die lach begon me vertrouwd te worden. Hélène Pessayre ook.

'Fabio', zei ze.

Het was de eerste keer dat ze me bij mijn voornaam noemde. En het beviel me zeer, de manier waarop ze mijn naam uitsprak. Vervolgens verwachtte ik het ergste.

'Ik heb de zwarte diskette geopend. Ik heb hem gelezen.'

'Je bent gek!'

'Het is werkelijk afschuwelijk.'

Het leek alsof ze verstard was.

Ik stak mijn hand naar haar uit. Ze legde de hare erin en drukte hem. Krachtig. Alles wat mogelijk en onmogelijk was tussen ons leek tot uitdrukking te komen in deze handdruk.

Eerst moesten we ons bevrijden van de dood die ons beklemde, dacht ik. Dat leken ook haar ogen op dit moment te zeggen. Het was als een schreeuw. Een stille schreeuw bij al de gruwelen die nog voor ons lagen.

# 18

## Waarin je meer verstrikt raakt in de dood naarmate je minder toegeeft aan het leven

De mensen die dood zijn, zijn definitief dood, dacht ik, terwijl ik nog altijd de hand van Hélène Pessayre in de mijne hield. Maar wij moeten doorgaan met leven.

'We moeten het winnen van de dood', zei ik.

Ze leek me niet te horen. Ze was ver weg met haar gedachten, waar weet ik niet.

'Hélène?' zei ik, zachtjes in haar hand knijpend.

'Ja, natuurlijk', zei ze. 'Natuurlijk.'

Ze glimlachte vermoeid, trok haar hand uit de mijne en stond op. Ze liep een paar stappen door de kamer.

'Het is langgeleden dat ik een man heb gehad', mompelde ze zacht. 'Ik bedoel een man die niet 's ochtends vroeg de benen neemt en een goeie smoes zoekt om die avond, of een andere avond, niet meer terug te hoeven komen.'

Ik stond op en liep naar haar toe.

Ze stond voor de openslaande deuren die op het terras uitkwamen. Haar handen had ze in de zakken van haar spijkerbroek, net als die ochtend aan de haven. Haar blik verloor zich in de nacht. In de richting van de open zee. Naar die andere oever vanwaar ze eens vertrokken was. Ik wist dat je Algerije niet kon vergeten als je er geboren was, als je er was opgegroeid. Didier Perez raakte daar niet over uitgepraat. Omdat ik naar hem geluisterd had, wist ik alles van de Algerijnse seizoenen, de dagen, de nachten. 'De stilte van de zomeravonden...' De weemoed stond in zijn ogen. Hij miste zijn land vreselijk. En bovenal de stilte van de zomeravonden. Die korte momenten die voor hem altijd een belofte van geluk inhielden. Ik was ervan overtuigd dat dat allemaal in Hélènes hart verankerd lag.

'De absurditeit heerst en de liefde gaat ervandoor', ging ze verder, me aankijkend. 'Dat heeft Camus gezegd. Al die lijken, de dood waar ik dagelijks mee te maken heb... Dat heeft me vervreemd van de liefde. Zelfs van het genot...'

'Hélène.'

'Je hoeft je niet opgelaten te voelen, Montale. Het doet me goed die dingen te zeggen. Ze tegen jou te zeggen.'

Ik voelde haar bijna lichamelijk piekeren over haar verleden.

'De laatste man die ik gekend heb...'

Ze haalde haar sigaretten uit de zak van haar overhemd en bood me er een aan. Ik gaf haar vuur.

'Het leek alsof ik een ijskelder was geworden, begrijp je? Toch hield ik van hem. Maar zijn liefkozingen... Ik voelde niets meer...'

Ik had nog nooit met een vrouw over deze dingen gepraat. Over dat moment waarop het lichaam zich afsluit en zich bij het koor der afwezigen voegt.

Lange tijd had ik geprobeerd de laatste nacht terug te halen waarin Lole en ik de liefde hadden bedreven. De laatste keer dat we elkaar verliefd hadden omarmd. De laatste keer dat zij haar arm om mijn middel had gelegd. Daar was ik uren mee bezig geweest, zonder dat ik daarin slaagde, natuurlijk. Ik herinnerde me van die nacht alleen dat ik, nadat ik haar lichaam langdurig had gestreeld, wanhopig werd toen mijn hand, mijn vingers, haar volledig droge geslacht beroerden.

'Ik heb geen zin', had ze gezegd.

Ze was tegen me aan gekropen, met haar hoofd in de holte van mijn schouder. Mijn lid was slap geworden tegen haar warme buik.

'Het is niet erg', had ik gemompeld.

'Jawel.'

En ik wist ook dat het erg was. Al een aantal maanden vrijden we minder vaak en Lole iedere keer met minder plezier. Een andere keer, toen ik langzaam in en uit haar ging, merkte ik dat ze volkomen afwezig was. Haar lichaam was er. Maar zij zelf was ver weg. Al ver weg. Ik had niet klaar kunnen komen. Ik had me uit haar teruggetrokken. We verroerden ons geen van beiden. We zeiden geen woord. En we werden meegevoerd door de slaap.

Ik keek naar Hélène.

'Dat was gewoon omdat je niet meer van die man hield. Anders niet.'

'Nee... Nee. Ik hield van hem. Ik denk dat ik nog steeds van hem hou, ik weet 't niet meer. Ik mis zijn handen op mijn lichaam. Soms word ik daar 's nachts wakker van. Hoewel steeds minder.'

Ze bleef even in gedachten staan, aan haar sigaret trekkend.

'Nee, het is veel ernstiger, geloof ik. Ik heb het gevoel dat de schaduw van de dood langzaam mijn leven binnendringt. En... Hoe zal ik het zeggen? Als je je daarvan bewust wordt, tast je in het duister. Je ziet niets meer. Zelfs het gezicht niet van degene die je liefhebt. En dan beschouwt iedereen om je heen je als meer dood dan levend.'

Als ik haar nu in mijn armen neem, dacht ik, dan is dat uitzichtloos. Ik was het overigens niet werkelijk van plan. Het was maar een, nauwelijks dwaze, gedachte om me niet in de duizelingwekkende spiraal van haar woorden te laten meeslepen. Ik wist waar zij naartoe ging. Ik was er vele malen geweest.

Ik begon te begrijpen wat zij onder woorden probeerde te brengen. En dat het te maken had met Sonia's dood. Sonia's dood bracht haar bij haar vader en tegelijkertijd bij het leven dat ze leidde. Bij alles wat rafelig wordt naarmate je verdergaat, keuzes maakt. En hoe minder je in het leven toegeeft, hoe meer je vecht met de dood. Vierendertig jaar. Even oud als Sonia. Dat had ze herhaaldelijk gezegd, die middag bij Ange op het terras.

De brute moord op Sonia, net op het moment dat zich voor haar mogelijkerwijs een liefdevolle toekomst aftekende, met mij – en misschien is dat de enige toekomst die nog voor ons is weggelegd – bracht Hélène terug bij haar impasses. Bij haar tegenslagen. Bij haar vrees. Ik begreep nu beter waarom ze zo uitdrukkelijk wilde weten wat ik die avond voor Sonia had gevoeld.

'Weet je...' begon ik.

Maar ik maakte mijn zin niet af.

Voor mij was het zonneklaar dat de dood van Mavros me voor altijd, en volledig, van mijn jongenstijd had beroofd. Mijn jeugd. Ook al hadden wij als jongens niet zoveel beleefd samen, dankzij Mavros had ik Manu's dood en daarna die van Ugo kunnen verdragen.

'Wat?' vroeg ze.

'Niks.'

De wereld was nu afgesloten. Mijn wereld. Ik had geen idee wat dat precies inhield, noch van de consequenties die dat in de komende uren kon hebben. Ik constateerde het. En net zoals Hélène zojuist had gezegd, tastte ook ik in het duister. Ik zag niets. Behalve de eerstkomende tijd. Waarin een paar onherstelbare daden uitgevoerd moesten worden. Zoals het koud maken van die schofterige maffiazoon.

Ze nam nog een trek van haar sigaret en maakte hem toen uit. Bijna woedend. Ik keek haar in de ogen en zij deed hetzelfde bij mij.

'Ik geloof', zei ze 'dat we enigszins uit ons gewone doen raken op het moment dat er iets belangrijks staat te gebeuren. Onze gedachten... Onze gedachten, ik bedoel die van mij, die van jou, beginnen aantrekkingskracht op elkaar uit te oefenen... De jouwe op die van mij en omgekeerd. En... begrijp je wat ik bedoel?'

Ik had geen zin meer om naar haar te luisteren. Niet echt. Mijn verlangen om haar in mijn armen te nemen overheerste al het andere. Ik stond nauwelijks een meter bij haar vandaan. Ik kon mijn hand op haar schouder leggen, over haar rug laten glijden, haar middel vastpakken. Maar ik wist nog steeds niet of ze hoopte dat ik dat zou doen. Op dit moment. Twee lijken, die een kloof vormden, hielden ons gescheiden. We konden alleen elkaars hand vasthouden. En oppassen dat we niet in die kloof vielen.

'Ja, dat geloof ik ook', zei ik. 'Jij noch ik kunnen in elkaars hoofd leven. Dat is te beangstigend. Bedoel je dat?'

'Zo ongeveer. Laten we zeggen dat we ons dan te veel blootgeven. Als wij... als wij met elkaar naar bed zouden gaan, dan zouden we te kwetsbaar zijn, later.'

Later, dat waren de uren die voor ons lagen. Babette, die aankwam. De confrontatie met het tuig van de maffia. De keuzes die we moesten maken. Die van Babette, die van mij. Die niet per se dezelfde waren. De wens van Hélène Pessayre om alles onder controle te willen hebben. En op de achtergrond, Honorine en Fonfon. Ook met hun eigen angst.

'Er is geen haast bij', zei ik schaapachtig.

'Je zegt maar wat. Je wilt net zo graag als ik.'

Ze had zich naar me toegekeerd en ik zag haar borst omhooggaan. Haar even geopende lippen wachtten op mijn lippen. Ik verroerde me niet. Alleen onze ogen waagden zich aan liefkozingen.

'Ik voelde het door de telefoon, daarstraks. Het verlangen... Of vergis ik me?'

Ik was niet in staat een woord uit te brengen.

'Zeg 't...'

'Nee, je hebt gelijk.'

'Alsjeblieft.'

'Ja, ik verlangde naar je. Ik verlang er verrekte veel naar.'
Haar ogen schitterden.
Alles was mogelijk.
Ik verroerde me niet.
'Ik ook', zei ze, bijna zonder haar lippen te bewegen.
Deze vrouw was in staat de woorden een voor een uit mijn mond te trekken. Als ze me nu zou vragen wanneer Babette in Marseille aankwam en waar ik haar zou ontmoeten, dan zou ik het haar vertellen.
Maar ze vroeg het me niet.
'Ik ook', herhaalde ze. 'Ik verlangde ernaar, op hetzelfde moment, denk ik. Alsof ik hoopte dat je me op dat ogenblik zou bellen... Dat was ik van plan, toen ik zei dat ik naar je toe kwam. Met je naar bed te gaan. Deze nacht in jouw armen door te brengen.'
'En ben je onderweg van gedachte veranderd?'
'Ja', zei ze glimlachend. 'Van gedachte, niet van verlangen.'
Langzaam kwam ze met haar hand naar me toe en streelde met haar vingers over mijn wang. Beroerden hem. Mijn wang begon te gloeien, sterker dan na haar oorvijg.
'Het is laat', mompelde ze zacht.
Ze glimlachte. Een vermoeide glimlach.
'En ik ben moe', voegde ze eraan toe. 'Maar er is nergens haast bij, is 't wel?'
'Wat erg is,' probeerde ik te schertsen, 'is dat alles wat ik tegen je kan zeggen zich steeds tegen me keert.'
'Dat is iets wat je zult moeten leren, met mij.'
Ze pakte haar handtas.
Ik kon haar niet tegenhouden. We hadden allebei iets te doen. Bijna hetzelfde. Maar we namen niet dezelfde weg. Ze wist het en ze had het eindelijk aanvaard, zo leek het. Het was niet langer alleen een kwestie van vertrouwen. Door vertrouwen raakten we te veel bij elkaar betrokken. We moesten diep in onszelf keren. In onze eenzaamheid. Onze verlangens. Aan

het eind zou misschien een waarheid liggen. De dood. Of het leven. De liefde. Een liefde. Wie kon het zeggen?

Met mijn duim streek ik over de ring van Didier Perez. En ik herinnerde me zijn woorden: 'Wat geschreven staat, staat geschreven, wat er ook gebeurt.'

'Er is iets wat je moet weten, Montale', zei ze voor de deur. 'Het afluisteren gebeurde in opdracht van de brigadeleiding. Maar ik heb niet kunnen achterhalen vanaf wanneer.'

'Zoiets vermoedde ik al. En wat betekent dat?'

'Precies wat je al had voorspeld. Dat ik straks gedwongen zal zijn een nauwkeurig rapport te maken over de twee moorden. De oorzaak. De maffia, alles... De lijkschouwer had het verband gelegd. Ik ben niet de enige die zich voor de misdaadtechniek van de maffia interesseert. Hij heeft zijn bevindingen aan mijn superieur overgebracht.'

'En de diskettes?'

Ze nam het me kwalijk dat ik haar die vraag stelde. Ik las het in haar ogen.

'Overhandig die ook', zei ik snel. 'Samen met je rapport. Niets wijst er toch op dat je superieur niet fatsoenlijk is?'

'Als ik het niet deed,' antwoordde ze met monotone stem, 'dan zou ik er gloeiend bij zijn.'

We bleven elkaar nog een fractie van een seconde aankijken.

'Slaap lekker, Hélène.'

'Bedankt.'

We konden elkaar geen hand geven. We konden elkaar ook niet omhelzen. Hélène Pessayre vertrok zoals ze binnengekomen was. Met minder ambivalente gevoelens.

'Je belt me, hè, Montale?' voegde ze eraan toe.

Want het was niet zo makkelijk zonder meer uiteen te gaan. Het was zoiets als elkaar kwijtraken voordat je elkaar had kunnen vinden.

Ik knikte en keek haar na toen ze de straat overstak naar haar auto. Een ogenblik bleef ik nadenken over wat een tedere en liefdevolle zoen had kunnen zijn. Onze lippen die elkaar kusten. Vervolgens dacht ik aan de twee maffiosi en de twee agenten, die met een slaperig oog Hélène Pessayre langs zagen komen, en die weer insliepen, zich afvragend of ik de commissaris geneukt had of niet. Dat beeld verjoeg iedere erotische gedachte.

Ik schonk een bodempje Lagavulin in en zette de cd van Gian Maria Testa op.

*Un po' di là del mare c' é una terra sincera*
*Come gli occhi di tuo figlio quando ride*

Woorden die me de laatste uren van de nacht vergezelden. *Iets verder dan de zee bevindt zich een land, zo eerlijk als de ogen van je zoon wanneer hij lacht.*

Sonia, ik zal je zoon zijn glimlach teruggeven. Ik zal het doen voor ons, voor wat er tussen ons had kunnen zijn, de liefde die mogelijk was, het leven dat mogelijk was, de blijdschap, de blijdschap die aan de andere kant van de dood verder slentert, voor de trein die naar zee loopt, in de *Turchino*, voor de dagen die nog verzonnen moeten worden, de uren, het plezier, onze lichamen, en onze begeerte, en nogmaals onze begeerte, en voor het lied dat ik zou hebben leren zingen, voor jou, dat ik voor je gezongen zou hebben, alleen maar vanwege het simpele geluk je te kunnen zeggen:

*se vuoi restiamo insieme anche stasera*

en het je nog eens te zeggen, en nog eens, *als je wilt, laten we dan ook vanavond samenblijven.*

Sonia.

Ik zal het doen. Voor de glimlach van Enzo.

's Ochtends was de mistral helemaal gaan liggen. Ik had naar het nieuws geluisterd terwijl ik het eerste kopje koffie van de dag klaarmaakte. Het vuur had zich nog verder verspreid, maar vanaf zonsopgang waren de blusvliegtuigen tot de aanval over kunnen gaan. De hoop dat de branden snel bedwongen zouden zijn, leek weer op te leven.

Met koffie in de ene en een sigaret in de andere hand liep ik naar de rand van het terras. De zee, kalmer geworden, was weer donkerblauw. Ik bedacht dat deze zee, die de oevers van Marseille en Algerije bespoelde, niets beloofde, niets openbaarde. Ze beperkte zich tot geven, met gulle hand. Wat Hélène en mij in elkaar aantrok was misschien geen liefde, maar dat gedeelde gevoel van scherpzinnig te zijn, dat wil zeggen zonder vertroosting.

En vanavond zou ik Babette weer zien.

# 19

## Waarin het noodzakelijk is te weten hoe je de dingen ziet

Het bloed stolde in mijn aderen. De luiken van Honorines huis zaten dicht. 's Zomers doen we de luiken nooit dicht. We laten ze, voor de openstaande ramen, halfopen staan zodat we 's nachts en in de vroege ochtend een beetje van de koelte kunnen profiteren. Ik zette mijn kopje neer en liep naar haar terras. De deur was afgesloten. Met de sleutel. Zelfs als ze 'naar de stad' ging nam Honorine nooit zoveel voorzorgsmaatregelen.

Ik trok snel een broek en een T-shirt aan en met ongekamde haren rende ik naar Fonfon. Hij stond achter de bar en bladerde afwezig door *La Marseillaise.*

'Waar is ze?' vroeg ik.

'Wil je koffie?'

'Fonfon?'

'Verdomme nog an toe!' zei hij, een schoteltje voor me neerzettend.

Zijn ogen, die roder waren dan normaal, stonden triest.

'Ik heb haar meegenomen.'

'Wat?'

'Vanochtend. Alex heeft ons gereden. Ik heb een nicht in Caillols. Daar heb ik haar mee naartoe genomen. Daar is ze veilig. Een paar dagen... Ik dacht...'

Hij had geredeneerd zoals ik voor Mavros en daarna voor Bruno en zijn gezin had gedaan. Ineens verweet ik het mezelf dat ik dit niet zelf had voorgesteld. Honorine niet en Fonfon niet. Na het gesprek dat hij en ik samen hadden gevoerd, had ik het moeten weten. De angst dat Honorine iets zou overkomen. Fonfon had haar weten te overtuigen dat ze moest vertrekken. En zij had erin toegestemd. Dat hadden ze samen besloten. Zonder er mij ook maar een woord van te vertellen. Want het was mijn zaak niet meer, maar die van hen, van hen samen. Hiermee vergeleken stelde de klap van Hélène Pessayre niets voor.

'Jullie hadden er met me over kunnen praten', zei ik bars. 'Me wakker komen maken… Zodat ik haar gedag had kunnen zeggen!'

'Het is zoals 't is, Fabio. 't Is nergens voor nodig om boos te worden. Ik heb gedaan wat me 't beste leek.'

'Ik ben niet boos.'

Nee, boos was het woord niet. Die vond ik trouwens niet, woorden. Mijn leven viel in duigen en zelfs Fonfon geloofde niet meer in me. En zo was het.

'Heb je eraan gedacht dat dat tuig hier voor de deur jullie konden volgen?'

'Ja, daar heb ik aan gedacht!' schreeuwde hij, terwijl hij het kopje koffie op het schoteltje zette. 'Wat denk je eigenlijk wel? Dat ik gek ben? Seniel? Schiet toch op, zeg!'

'Geef me een glas cognac.'

Opgewonden pakte hij de fles, een glas, en schonk me in, terwijl we elkaar aldoor bleven aankijken.

'Fifi moest de weg in de gaten houden. Als er een auto na ons weg zou rijen, een auto die we niet kenden, dan zou hij Alex in de taxi op zijn mobiele telefoon bellen. Dan zouden we gewoon teruggekomen zijn.'

Verdomde ouwetjes! dacht ik.

En ik goot de cognac in één keer achterover. Onmiddellijk voelde ik een brandend gevoel tot onder in mijn maag. Het zweet brak me uit en bezorgde me een natte rug.

'En niemand heeft jullie gevolgd?'

‘Die kerels van de Fiat waren er vanochtend niet. Alleen de dienders waren er. En die bleven zitten waar ze zaten.’

‘Hoe weet je zo zeker dat het de dienders waren?’

‘Omdat die een kop hebben waar je je niet in kan vergissen.’

Ik nam een slok koffie.

‘En de Fiat Punto was er niet, zei je?’

‘Die is er nog steeds niet.’

Wat was er aan de hand? Twee dagen, had de moordenaar tegen me gezegd. Ik kon niet geloven dat hij alles had geslikt wat ik tegen hem had gezegd. Ik was natuurlijk maar een stomme lul, maar dan nog!

Ineens kreeg ik een schrikbeeld. Een uitje van de moordenaars naar Le Castellas. Om Babette daar te pakken te krijgen. Ik schudde mijn hoofd. Om die gedachte te verdrijven. En mezelf ervan te overtuigen dat het afluisteren pas gisteravond was begonnen. Mezelf ervan te overtuigen dat de politie niet zó sterk met de maffia was verbonden. Nee, probeerde ik mezelf gerust te stellen, een leidinggevende niet, nee. Maar een diender, onverschillig welke diender, wel. Onverschillig welke. Eén was genoeg. Eén die er met zijn neus bovenop zat. Eén maar, godverdomme!

‘Geef me de telefoon eens aan.’

‘Alsjeblieft’, zei Fonfon, en hij zette hem op de bar. ‘Wil je wat eten?’

Ik haalde mijn schouders op, terwijl ik het nummer van Le Castellas draaide. Zes, zeven, acht keer ging de telefoon over. Ik begon steeds erger te transpireren. Negen.

Er werd opgenomen.

‘Luitenant Brémond.’

Een autoritaire stem.

Het werd me koud om het hart. Mijn benen begonnen te trillen. Ze waren erheen gegaan. Ze hadden de afgetapte gesprekken gekregen. Ik begon van top tot teen te beven.

‘Hallo!’

Langzaam legde ik de hoorn neer.
'Wil je gegrilde figatelli?' riep Fonfon vanuit de keuken.
'Goed.'
Ik belde Hélène Pessayre.
'Hélène', zei ik toen ze opnam.
'Alles goed?'
'Nee. Het gaat niet goed. Ik denk dat ze naar Le Castellas zijn gegaan, waar Babette zat. Dat denk ik niet, ik weet 't zeker, verdomme. Ik heb gebeld. Een of andere luitenant nam op. Luitenant Brémond.'
'Waar is dat?'
'Gemeente Saint-Jean-du-Gard.'
'Ik bel terug.'
Maar ze hing niet op.
'Was Babette daarboven?'
'Nee, in Nîmes. Ze is in Nîmes', loog ik.
Want op dit moment zat ze net in de trein. Dat hoopte ik althans.
'O', zei Hélène Pessayre eenvoudig,
Ze hing op.
De geur van de figatelli verspreidde zich in het café. Ik had geen honger. En toch werd mijn neus aangenaam geprikkeld door die geur. Ik moest eten. En minder drinken. Eten. En minder roken.
Eten.
'Je eet toch wel wat?' vroeg Fonfon, toen hij uit de keuken kwam.
Hij dekte een tafel met uitzicht op zee. Daarna opende hij een fles rosé uit Saint-Cannat. Een simpele wijn van de coöperatie. Hij was prima, voor bij het ontbijt.
'Waarom ben je niet bij haar gebleven?'
Hij ging weer naar de keuken. Ik hoorde dat hij de figatelli omdraaide op de grill. Ik liep naar hem toe.
'Nou, Fonfon?'

'Wat is er?'
'Waarom jij niet ook bij je nicht bent gebleven.'
Hij keek me aan. Ik wist niet meer wat er in zijn blik besloten lag.
'Dat zal 'k je vertellen...'
Ik zag zijn woede opkomen. Hij explodeerde.
'Waar had Félix je dan moeten bellen? Nou? Om je te vertellen wanneer hij Babette in zijn boot meenam. Je hebt 'm wel mooi verteld dat hij hiernaartoe moest bellen, naar mijn bar.'
'Dat had hij voorgesteld, en...'
'Precies, ja... Geloof maar gerust dat hij ook niet gek of seniel is.'
'Ben je daarom niet daar gebleven? Ik had kunnen...'
'Wat had je gekund? Hier zitten wachten tot de telefoon overging? Zoals nu?'
Hij draaide de figatelli nog eens om.
'Het is bijna klaar.'
Hij deed alles in een pan, pakte een brood en liep naar de tafel. Ik volgde hem.
'Heeft Félix gebeld?'
'Nee, ik heb hem gebeld. Gisteren. Voor ons gesprekje. Ik wilde iets weten.'
'Wat wilde je weten?'
'Of die hele geschiedenis echt zo ernstig was... Dus heb ik 'm gevraagd of je 'm had opgehaald... De blaffer van Manu. Hij zei van wel. En Félix heeft me alles verteld.'
'Dus je wist alles al? Gisteravond?'
'Ja.'
'En je hebt niks gezegd.'
'Ik wilde het uit jouw mond horen. Het jou horen vertellen, tegen mij. Tegen mij, Fonfon!'
'Barst!'
'En zal ik je 'ns wat zeggen, Fabio, ik denk dat je ons niet alles

hebt verteld. Dat denkt Félix ook. Maar hem kan 't niet schelen. Dat zei hij tegen me. Ook al doet hij net alsof, hij hangt veel meer aan het leven dan je denkt. Zie je... Nee, dat zie jij niet. Jij ziet soms niks. Je komt langs...'

Fonfon begon te eten. Zijn hoofd over zijn bord gebogen. Mij lukte het niet. Na drie happen en veel stilte keek hij weer op. Zijn ogen stonden vol tranen.

'Eten, verdomme! Anders wordt 't koud.'

'Fonfon...'

'Ik zal je nog meer vertellen... Ik ben hier om... om bij je in de buurt te zijn. Maar ik weet niet waarom, Fabio. Ik weet niet waarom! Honorine heeft 't me gevraagd. Of ik hier wilde blijven. Anders was ze niet weggegaan. Dat heeft ze als voorwaarde gesteld. Begrijp je verdomme wel?'

Plotseling stond hij op. Hij zette zijn handen plat op de tafel en boog zich naar me toe.

'Want als zij 't me niet gevraagd had, weet ik niet of ik gebleven was.'

Hij verdween naar de keuken. Ik stond op en ging naar hem toe. Hij stond te huilen, leunend met zijn hoofd tegen de koelkast. Ik legde mijn arm om zijn schouders.

'Fonfon', zei ik.

Hij draaide zich langzaam om en ik drukte hem tegen me aan. Hij bleef huilen, als een kind.

Wat een armoe, Babette, wat een armoe.

Maar Babette was niet verantwoordelijk voor dit alles. Zij was alleen maar de lont in het kruitvat. En ik ontdekte hoe ik in werkelijkheid was. Onachtzaam tegenover anderen, zelfs tegenover degenen van wie ik hield. Niet in staat hun angst, hun vrees te begrijpen. Hun verlangen nog een poosje gelukkig te zijn. Ik leefde in een wereld waarin ik geen plaats voor hen inruimde. Ik accepteerde alles van hen, soms met onverschilligheid, en liet, vaak uit luiheid, alles wat ze zeiden of deden en wat me niet beviel van me afglijden.

In wezen was dat de reden waarom Lole me had verlaten. Vanwege de manier waarop ik aan de mensen voorbij ging, onverschillig, zorgeloos. Ongeïnteresseerd. Zelfs op de ergste momenten kon ik niet laten zien hoezeer ik in werkelijkheid aan ze gehecht was. Ik dacht dat alles vanzelf ging. Vriendschap. Liefde. Hélène Pessayre had gelijk. Ik had Lole niet alles gegeven. Ik had nooit iemand alles gegeven.

Lole was ik kwijt. Fonfon en Honorine raakte ik kwijt. En dat was het ergste wat me kon overkomen. Zonder hen... Zij waren mijn laatste houvast in het leven. Bakens in zee, de enigen die de weg naar de haven konden wijzen. Mijn weg.

'Ik hou van jullie, Fonfon. Van jullie allebei.'

'Goed, goed', zei hij.

'Ik heb verdomme alleen jullie maar!'

'Precies, ja!'

En zijn woede kwam opnieuw tot uitbarsting.

'Daar denk je nu aan! Dat we eigenlijk je familie zijn! Maar die moordenaars staan bij ons voor de deur... En de politie luistert je af zonder dat die commissaris van je ervan af weet... En jij? Jij maakt je ongerust, da's duidelijk, want je gaat een blaffer halen. Maar wij? Over ons maak je je niet ongerust...! Wij moeten maar wachten tot meneer alles geregeld heeft. Tot alles weer in orde is. En later, als de dood voorbij is gegaan en ons heeft gespaard, gaan we weer verder met ons gewone leventje. Vissen, aperitiefje, spelletje jeu de boules, potje rami 's avonds... Zie je het zo, Fabio? Kijk jij zo tegen de dingen aan? Wat betekenen we eigenlijk voor je, verdomme!'

'Nee', mompelde ik. 'Zo kijk ik er niet tegen aan.'

'Mooi, en hoe kijk je er dan wel tegen aan?'

De telefoon rinkelde.

'Montale?'

De stem van Hélène Pessayre was vlak. Kleurloos.

'Ja.'

'Vanochtend om zeven uur heeft Bruno een vlaag van krankzinnigheid gehad...'

Ik sloot mijn ogen. De beelden tolden door mijn hoofd. Het waren zelfs geen beelden meer, maar golven bloed.

'Hij heeft zijn vrouw en zijn twee kinderen vermoord... Met... met een bijl. Het is...'

Ze kon niet verder praten.

'En hij, Hélène?'

'Hij heeft zich gewoon opgehangen.'

Fonfon kwam voorzichtig dichterbij en zette een glas rosé voor me neer. Ik dronk het in één keer leeg en beduidde Fonfon dat hij me nog eens moest inschenken. Hij zette de fles naast me neer.

'Wat zegt de politie?'

'Familiedrama.'

Ik dronk nog een glas rosé.

'Ja, natuurlijk.'

'Volgens de getuigen ging het niet zo goed meer tussen Bruno en zijn vrouw. Al een tijdje niet... het schijnt dat er in het dorp nogal wat gepraat is over die vrouw die bij hen woonde.'

'Dat zou me verbazen. Niemand wist dat Babette in Le Castellas was.'

'Getuigen, Montale. In ieder geval één. Een oude vriend van Bruno. De boswachter.'

'Ja, natuurlijk', zei ik weer.

'Er is een opsporingsbericht uitgegaan voor je vriendin. Ze willen haar verhoren.'

'Wat betekent dat?'

'Dat betekent dat ze de politie achter zich aan heeft, gevolgd door de maffia. En de moordenaar, in een hinderlaag.'

Als Bruno had gepraat, en hij moest wel gepraat hebben, zouden de kerels in Nîmes zijn opgedoken, bij de vrienden bij wie Babette zou overnachten. Ik hoopte maar dat Babette al weg was voordat ze kwamen. Voor haar. Voor de mensen bij wie ze logeerde. En dat ze in de trein zat.

'Montale, waar is Babette?'

'Ik weet 't niet. Nu weet ik 't niet. In een trein, misschien. Vandaag zou ze naar Marseille komen. Als ze aankwam zou ze me bellen.'

'Heb je al een plan, voor als ze aankomt?'

'Ja.'

'En mij bellen, komt dat ook in dat plan voor?'

'Niet gelijk. Later.'

Ik hoorde haar diep ademhalen.

'Ik stuur een onopvallend team naar het station. Voor het geval die klootzakken er zijn en iets willen proberen.'

'Het lijkt me beter als ze niet wordt gevolgd.'

'Ben je bang dat ik ontdek waar ze heen gaat?'

Mijn beurt om diep adem te halen.

'Ja', zei ik. 'Dan komt er iemand anders in gevaar. En jij bent nergens zeker van. Van niemand. Zelfs niet van je naaste teamgenoot. Béraud, geloof ik?'

'Ik weet waar ze heen gaat, Montale. Ik denk dat ik geraden heb waar je haar vanavond zult ontmoeten.'

Ik schonk nog een glas in. Ik was groggy.

'Heb je me laten volgen?'

'Nee. Ik was je voor. Je had me verteld dat de persoon die je wilde spreken, Félix, in Vallon-des-Auffes woonde. Ik heb Béraud erheen gestuurd. Hij wandelde langs de haven toen je aankwam.'

'Je hebt geen vertrouwen in me, geloof ik?'

'Nog steeds niet. Maar het is beter zo. Voor het moment. We spelen elk ons eigen spel. Dat wilde je toch?'

Weer hoorde ik haar ademhalen. Ze was benauwd. Toen werd haar stem lager. Hees.

'Ik hoop nog steeds dat we elkaar weer zullen zien wanneer alles achter de rug is.'

'Dat hoop ik ook, Hélène.'
'Ik ben nog nooit zo eerlijk geweest tegen een man als tegen jou, gisteravond.'
En ze hing op.
Fonfon zat aan tafel. Hij had zijn figatelli niet opgegeten, ik was er niet aan begonnen. Hij zag me op zich toe komen. Hij was uitgeput.
'Fonfon, ga naar Honorine. Zeg haar dat ik beslis. Niet zij. En dat ik wil dat jullie samen zijn. Je hebt hier niks te zoeken!'
'En jij dan?' mompelde hij.
'Ik wacht tot Félix belt en dan sluit ik het café. Geef me het nummer waar ik jullie kan bereiken.'
Hij stond op en keek me recht aan.
'Wat ga je doen?'
'Doden, Fonfon. Doden.'

# 20

## Waarin elke waarheid haar eigen bitterheid heeft

Nu de mistral was gaan liggen, rook je de brandlucht. Een scherp mengsel van hout, hars en chemische producten. Eindelijk leek de brandweer het vuur onder controle te hebben. Er werd nu gezegd dat er 3450 hectaren verloren waren gegaan. Voornamelijk bos. Op de radio had iemand, ik weet niet meer wie, gesproken over een miljoen bomen die verbrand waren. Een brand, vergelijkbaar met die van augustus 1989.

Na een kort middagdutje was ik naar de kreken gewandeld. Ik voelde de behoefte mijn hoofd te reinigen in de schoonheid van dat landschap. Het vrij te maken van alle akelige gedachten en het te vullen met prachtige beelden. De behoefte ook om mijn arme longen een beetje zuivere lucht te gunnen.

Ik was vertrokken vanuit de haven van Calelongue, vlak bij Les Goudes. Een gemakkelijke wandeling van nauwelijks twee uur over het smokkelpad. Dat bood schitterende uitzichten op de archipel van Riou en de zuidzijde van de kreken. Bij het Plan des Cailles, tussen de bomen boven de Calanque des Queyrons, niet ver van de zee, hield ik het voor gezien. Zwetend en hijgend als een paard had ik een pauze ingelast aan het eind van het overhangende pad boven de Calanque de Podestat.

Daar zat ik goed, met uitzicht op de zee. In de stilte. Hier viel niets te begrijpen, niets te weten. Alles stond op je netvlies op het moment dat je ervan genoot.

Na het telefoontje van Félix was ik op pad gegaan. Even voor tweeën. Babette was zojuist aangekomen. Hij had de hoorn aan haar doorgegeven. Ze had niet de trein naar Nîmes genomen. Toen ze eenmaal op het station was, vertelde ze, was ze gaan twijfelen. Een voorgevoel. Ze was een autoverhuurbedrijf binnengestapt en in een huurauto weer naar buiten gereden. In Marseille had ze de auto bij de haven geparkeerd. Ze had de bus naar de Corniche genomen. Vandaar was ze te voet naar Vallon-des-Auffes gegaan.

Ik had het café gesloten, de luiken aan de kant van de zee dichtgedaan en het metalen rolluik neergelaten. Het lokaal was nog maar karig verlicht door het raampje boven de toegangsdeur.

'Dat wilde ik graag,' begon ze te vertellen, 'de stad in me opnemen. Me te verzadigen met het licht dat hier hangt. Ik ben zelfs bij La Samaritaine gestopt om wat te eten en te drinken. Ik dacht aan jou. Aan wat jij zo vaak zegt. Dat je niets van deze stad begrijpt als je ongevoelig bent voor het licht hier.'

'Babette...'

'Ik hou van deze stad. Ik heb naar de mensen om me heen gekeken. Op het terras. Op straat. Ik benijdde ze. Ze leefden. Goed, slecht, met hoogte- en dieptepunten, natuurlijk, net als iedereen. Maar ze leefden. Ik... ik voelde me als een buitenaards wezen.'

'Babette...'

'Wacht even... Toen heb ik mijn zonnebril afgezet en mijn ogen gesloten. Mijn gezicht naar de zon gekeerd. Om de zon te voelen branden, zoals op het strand. Ik werd mezelf weer. Ik dacht: je bent thuis. En... Fabio...'

'Wat?'

'Dat is niet waar. Ik ben niet meer helemaal thuis. Ik kan niet op straat lopen zonder me af te vragen of ik niet gevolgd word.'

Ze zweeg even. Ik had aan de telefoondraad getrokken en was op de grond gaan zitten, met mijn rug tegen de bar. Ik was moe. Ik had slaap. Ik had lucht nodig. Ik wilde van alles, behalve horen wat ze ging zeggen en wat ik in ieder woord voelde aankomen.

'Ik heb erover nagedacht', ging Babette verder.

Haar stem was merkwaardig rustig. En dat vond ik nog onverdraaglijker.

'Ik zal nooit meer thuis kunnen zijn in Marseille als ik dit onderzoek opgeef. Al het werk, waar ik jaren mee bezig ben geweest. Ik moet alles uit mezelf halen. Zoals iedereen hier, op zijn eigen niveau. Met de overdrijving die ons eigen is. Die ons de das om zal doen...'

'Babette, ik wil daar door de telefoon niet over praten.'

'Ik wilde dat je het weet, Fabio. Gisteravond gaf ik ten slotte toe dat je gelijk had. Ik had alles gewikt en gewogen en nog eens overwogen. Maar... toen ik hier kwam... het heerlijke gevoel van de zon op mijn huid, dat licht in mijn ogen... Ik ben degene die gelijk heeft.'

'Heb je de documenten bij je?' onderbrak ik haar. 'De originelen?'

'Nee. Die zijn op een veilige plaats.'

'Verdomme, Babette!' schreeuwde ik.

'Je hoeft je niet op te winden, zo liggen de zaken. Hoe kun je gelukkig leven als je weet dat iedere keer dat je ergens naartoe gaat of iets koopt, je genaaid wordt door de maffia? Nou? En flink ook!'

Hele stukken van haar onderzoek zag ik in gedachten voor me. Alsof ik die avond bij Cyril de harde schijf in mijn hoofd had gestopt.

'In de fiscale paradijzen staan de misdaadsyndicaten in contact met de grootste commerciële banken ter wereld, waarvan de plaatselijke filialen gespecialiseerd zijn in *private banking* en discrete en persoonlijke service aanbieden voor het beheer van rekeningen met een hoog fiscaal rendement. Deze vluchtmogelijkheden worden gebruikt door zowel legale ondernemingen als door criminele organisaties. De vooruitgang in de techniek van het bankieren en de telecommunicatie bieden brede mogelijkheden om snel de winsten van illegale transacties te laten circuleren of te laten verdwijnen.'

'Fabio?'

Ik knipperde met mijn ogen.

'Het geld kan gemakkelijk worden rondgepompt door middel van elektronische overboekingen tussen moederbedrijf en dochter, die als een brievenbusmaatschappij staat geregistreerd in een fiscaal paradijs. Miljarden dollars, afkomstig van beheersmaatschappijen van institutionele fondsen – met inbegrip van pensioenfondsen, spaartegoeden van coöperatieve verzekeringsmaatschappijen en de staatsfondsen – circuleren op die manier, en staan beurtelings op rekeningen in Luxemburg, de Kanaaleilanden, de Kaaimaneilanden enz.

De accumulatie in de fiscale paradijzen van enorme financiële reserves die toebehoren aan grote maatschappijen – het gevolg van de fiscale vlucht – is ook verantwoordelijk voor de groei van het begrotingstekort in de meeste westerse landen.'

'Dat is de vraag niet', zei ik.

'O nee? En wat dan wel?'

Ze had het niet over Bruno gehad. Ik veronderstelde dat ze nog niet van het bloedbad had gehoord. Van die gruwelijke gebeurtenis. Ik besloot niets te zeggen. Voor nu. Die smeerlapperij als ultiem argument achter de hand te houden. Wanneer we eindelijk tegenover elkaar zouden staan. Vanavond.

'Het is geen vraag. Ik zal nooit meer gelukkig zijn als ze morgen... de keel doorsnijden van Fonfon en Honorine! Zoals die varkens bij Sonia en Mavros hebben gedaan.'

'Ik heb ook genoeg bloed gezien!' wond ze zich op. 'Ik heb het lijk van Gianni gezien. Verminkt! Dus kom me niet aan met...'

'Maar jij leeft godverdomme nog! Zij niet! Ik leef ook nog. En Honorine en Fonfon en Félix ook, nu nog wel! Maar sta niet te zeiken over wat jij hebt gezien. Want zoals we nu bezig zijn, zul je nog wel meer te zien krijgen. En erger! Jouw lichaam langzaam in stukken gesneden...'

'Hou op!'

'Totdat je ze vertelt waar die verdomde documenten zijn. Ik weet zeker dat je bij de eerste afgesneden vinger doorslaat.'

'Klootzak!' brulde ze.

Ik vroeg me af waar Félix was. Had hij zich in een leesavontuur van *Les Pieds Nickelés* gestort, met een koel glas bier erbij? Onverschillig voor wat hij hoorde? Of was hij naar de haven gegaan zodat Babette niet het gevoel had dat ze bespied werd?

'Waar is Félix?'

'Naar de haven. Om de boot klaar te maken. Hij zei dat hij rond acht uur de zee op ging.'

'Goed.'

Weer was het stil.

Het schemerlicht in het café deed me goed. Ik had zin om languit op de grond te gaan liggen. En te slapen. Heel lang te slapen. In de hoop dat tijdens die lange slaap de gigantische smeerlapperij op zou lossen in mijn droom over het zuivere ochtendgloren boven de zee.

'Fabio', ging Babette verder.

Ik herinnerde me dat ik boven op de Col de Cortiou had gedacht dat elke waarheid haar eigen bitterheid in zich droeg. Dat had ik ergens gelezen.

'Babette, ik wil niet dat je iets ergs overkomt. Ook ik zou niet meer kunnen leven, als... als hij jou zou doden. Iedereen van wie ik hield, is dood. Mijn vrienden. En Lole is weg...'

'Och!'

Ik had de brief van Babette, die Lole had opengemaakt en gelezen, niet beantwoord. De brief die onze liefde kapot had gemaakt. Ik had het Lole kwalijk genomen dat ze zich toegang tot mijn geheimen had verschaft. En daarna had ik Babette ook verwijten gemaakt, in stilte. Maar Babette noch Lole was verantwoordelijk voor het vervolg. De brief was precies op het moment gekomen dat Lole werd bestookt door twijfel over mij, over haarzelf. Over ons, ons leven.

'Weet je, Fabio,' had ze me op een avond bekend, op een van die avonden dat ik nog probeerde haar over te halen dat ze moest wachten, moest blijven, 'mijn besluit staat vast. Al heel lang. Ik heb mezelf ruim de tijd gegeven om na te denken. Die brief van je vriendin Babette heeft er niets mee van doen. Die maakte het me alleen mogelijk om mijn besluit te nemen... Ik twijfel al een hele tijd. Het is dus geen opwelling. En daarom is het zo erg. Nog erger. Ik weet... ik weet dat het voor mijzelf van levensbelang is om weg te gaan.'

Ik had niets anders weten te zeggen dan dat ze koppig was. En zo trots dat ze niet kon toegeven dat ze zich vergist had. Niet kon terugkrabbelen. Niet bij mij kon terugkomen. Bij ons.

'Koppig! Jij bent even koppig als ik, Fabio! Nee...'

En toen zei ze de woorden waarmee ze de deur definitief achter zich dichtdeed: 'Ik voel voor jou niet meer de liefde die nodig is om met een man samen te leven.'

Later had Lole me nog eens gevraagd of ik dat meisje, die Babette, nog teruggeschreven had.

'Nee', had ik geantwoord.

'Waarom niet?'

Ik had nooit de woorden gevonden om haar brief te beantwoorden, of om haar zelfs maar te bellen. En wat had ik haar moeten vertellen? Dat ik niet wist hoe breekbaar de liefde tussen Lole en mij was? En dat alle ware liefdes dat waarschijnlijk zijn? Zo breekbaar als glas. Dat de liefde de mensen tot het uiterste drijft. En dat wat zij, Babette, voor liefde hield, niets anders dan een illusie was.

Ik had niet de moed gehad die woorden uit te spreken. Of om te zeggen dat ik het na dit alles, na de leegte die Lole in mij had achtergelaten, niet nodig vond elkaar nog ooit te ontmoeten.

'Omdat ik niet van haar hou, en dat weet je heel goed', had ik Lole geantwoord.

'Misschien vergis je je.'

'Lole, alsjeblieft.'

'Jij wilt nooit iets aanvaarden in het leven. Niet dat ik bij je wegga, niet dat zij op je wacht.'

Voor het eerst had ik het verlangen gevoeld haar een draai om haar oren te geven.

'Dat wist ik niet', zei Babette.

'Laat maar. Wat er nu gebeurt is belangrijker... De moordenaars die ons op de hielen zitten. Daar moeten we het straks over hebben. Ik heb wel ideeën. Om met ze te onderhandelen.'

'Dat zien we nog wel, Fabio... Maar weet je... Ik denk dat er nu maar één oplossing is: een operatie "schone handen" in Frankrijk. Het is de enige manier, de meest doeltreffende, om te reageren op de twijfels van de mensen. Niemand gelooft meer ergens in. Niet in de politici. Niet in het politieke beleid. Niet in de waarden van dit land. Het is... het is het enige antwoord op het Front National. De vuile was buiten hangen. In het volle licht.'

'Je droomt! Wat is er in Italië veranderd?'

'Er zijn dingen veranderd.'

'Ja, geweldig.'

Natuurlijk had ze gelijk. En veel rechters in Frankrijk deelden dit standpunt. Vastberaden gingen ze door, dossier na dossier. Vaak alleen. Soms met gevaar voor hun leven. Zoals de vader van Hélène Pessayre. Dat wist ik allemaal, ja.

Maar ik wist ook dat er meer nodig was dan een mediaoffensief om dit land zijn moraal terug te geven. In het waarheidsgehalte van wat sommige journalisten in het nieuws brachten, had ik weinig vertrouwen. Het nieuws van acht uur was niet meer dan bedrieglijke schijn. De wrede beelden van genocide, eerst in Bosnië, toen in Rwanda en daarna in

Algerije, hadden geen miljoenen mensen de straat opgedreven. Niet in Frankrijk, niet ergens anders. Bij de eerstvolgende aardbeving, bij het kleinste treinongeluk, werd de bladzijde omgeslagen. De waarheid overlatend aan de mensen die ermee te maken hadden. De waarheid was het brood van de armen, niet van de gelukkigen of die dat dachten te zijn.

'Je hebt 't zelf geschreven', zei ik. 'Dat de strijd tegen de maffia via een gelijktijdige economische en sociale ontwikkeling gaat.'

'Dat houdt de waarheid niet tegen. Op een bepaald moment. En dat moment is nu, Fabio.'

'Gelul.'

'Verdomme, Fabio! Wil je dat ik ophang?'

'Hoeveel doden is de waarheid waard?'

'Zo kun je niet redeneren. Dat is de redenering van verliezers.'

'We zijn verliezers!' schreeuwde ik. 'Er zal niks veranderen. Niks meer.'

Ik dacht weer aan de woorden van Hélène Pessayre, tijdens onze ontmoeting op het fort Saint-Jean. Aan het boek over de Wereldbank. Aan die gesloten wereld die zich organiseerde en waarvan wij zouden worden uitgesloten. Waarvan wij al waren uitgesloten. Aan de ene kant het beschaafde Westen, aan de andere kant 'de gevaarlijke klassen' van het zuiden, van de derde wereld. En de grens. De *mark*.

Een andere wereld.

Waarin voor mij geen plaats meer was, dat wist ik.

'Ik weiger naar die flauwekul te luisteren.'

'Oké, Babette, ga je gang maar. Publiceer je onderzoek, crepeer, laten we allemaal maar creperen, jij, ik, Honorine, Fonfon, Félix...'

'Je wilt dus dat ik 'm smeer?'

'Waar denk je heen te gaan, stomme trut!'

En de woorden ontsnapten me: 'Vanochtend heeft de maffia je vriend Bruno en zijn gezin met een bijl afgeslacht...'

Stilte. Net zo diep als weldra de vier kisten op de bodem van een grafkelder.

'Het spijt me, Babette. Ze dachten dat jij daar was.'

Ik hoorde dat ze huilde. Dikke tranen, stelde ik me voor. Geen gesnik, nee, alleen tranen. Angst en paniek.

'Ik wil dat het ophoudt', mompelde ze.

'Het houdt nooit op, Babette. Omdat alles al is opgehouden. Dat wil je niet inzien. Maar we kunnen eraan ontsnappen. Overleven. Een poosje, een paar jaar. Liefhebben. In het leven geloven. In de schoonheid... En zelfs vertrouwen hebben in het recht en de politie van dit land.'

'Je bent gek', zei ze.

En ze begon te snikken.

# 21

## Waarin duidelijk wordt dat de verdorvenheid blind is

Ik voer met mijn boot de haven van Frioul binnen. Het was net negen uur. De zee was woeliger dan ik had gedacht toen ik uit Les Goudes wegging. Babette zou het een halfuurtje flink lastig gehad hebben, dacht ik, terwijl ik de motor zachter zette. Maar ik had van alles bij me om haar op te kikkeren. Worst uit Arles, wildzwijnpaté, zes geitenkaasjes uit Banon en twee flessen rode wijn uit Bandol. Van het Domaine de Cagueloup. En mijn fles Lagavulin, voor later op de avond. Voordat ik weer de zee opging. Ik wist dat Félix er ook niet vies van was.

Ik was gespannen. Voor het eerst was ik de zee opgegaan met een doel, een speciale reden. Dus was er een hels kabaal in mijn hoofd ontstaan. Op een gegeven moment begon ik me zelfs af te vragen waar ik eigenlijk mee bezig was, op mijn leeftijd, terwijl ik er maar een vaag idee van had wie ik eigenlijk was en wat ik wilde in het leven. Geen enkel antwoord diende zich aan. Maar wel andere vragen, die nog veel specifieker waren en die ik had proberen te ontwijken. De laatste was het gemakkelijkste. Wat voerde ik hier vanavond uit, op mijn boot, met een blaffer, een 6.35, in mijn jaszak?

Want ik had Manu's pistool meegenomen. Na enige aarzeling. Sinds het vertrek van Honorine en Fonfon voelde ik me ontredderd. Zonder houvast. En eenzaam. Ik had even op het punt gestaan Lole te bellen. Om haar stem te horen. Maar wat zou ik haar moeten zeggen? Zij leefde in een andere wereld. Waar niemand was vermoord. En waar ze elkaar liefhadden.

Zij en haar vriend in ieder geval.

Toen was ik door angst overvallen.

Op het moment dat ik met de boot uitvoer, had ik gedacht: en als je je vergist, Fabio, en ze er lucht van krijgen en je op zee achterna komen? Ik was een paar pakjes sigaretten wezen kopen en had vastgesteld dat de Fiat Punto niet in de buurt stond. Ik was naar boven gelopen, bijna tot aan de rand van het dorp. Er stond ook geen witte 304. Geen moordenaars, geen dienders. Precies op dat moment voelde ik hoe mijn buik van angst samentrok. Als een alarmbel. Dit was niet normaal, ze hadden er moeten zijn. De moordenaars omdat ze Babette niet te pakken hadden gekregen, de politie omdat Hélène Pessayre dat beloofd had. Maar het was te laat. Op dat moment was Félix al uitgevaren.

Ik ontdekte de boot van Félix helemaal aan de rechterkant van de dijk die de eilanden van Pomègues en Ratonneau met elkaar verbond. Het bebouwde gedeelte. Waar een paar cafés open waren. Het was rustig in de haven. Zelfs zomers kwamen er 's avonds niet veel mensen naar Frioul. De Marseillanen kwamen er alleen overdag. In de loop der jaren waren alle bouwplannen verzand in onverschilligheid. De eilanden van Frioul waren niet bewoonbaar, het was slechts een plek waar je ging duiken, vissen en zwemmen in het koude zeewater.

'Hallo! Félix!' riep ik, terwijl ik naar hem toe voer.

Hij verroerde zich niet. Hij leek te slapen. Zijn bovenlijf licht voorovergebogen.

De romp van mijn boot schuurde zachtjes langs de zijne.

'Félix.'

Ik stak mijn arm uit om hem zachtjes heen en weer te schudden. Zijn hoofd zakte opzij en toen naar achteren en zijn dode ogen staarden recht in de mijne. Uit zijn opengesneden keel stroomde nog bloed.

Ze waren hier.

Babette, dacht ik.

We zaten vast. En Félix was dood.

Waar was Babette?

Mijn maag draaide om door een onverwachte vloedgolf en ik kreeg een bittere galsmaak in mijn mond. Ik boog voorover. Om te braken. Maar behalve een groot glas Lagavulin dat ik onderweg had gedronken, had ik niets in mijn maag.

Félix.

Zijn dode ogen. Voor altijd.

En het bloed dat stroomde. Dat de rest van mijn verdomde leven in mijn herinnering zou blijven stromen.

Félix.

Hier niet blijven.

Ik hield me vast aan de romp van zijn boot en duwde me snel af, zette de motor aan en voer achteruit om me los te maken. Ik liet mijn blik langs de haven glijden, langs de dijk, over de omgeving. Niemand. Op een zeilboot hoorde ik gelach. De lach van een man en een vrouw. Die van de vrouw sprankelde als champagne. De liefde was niet ver. Hun lichamen op het houten dek. Hun plezier in het maanlicht.

Ik bracht mijn boot zo ver mogelijk weg. Helemaal naar de oostzijde. Die kant was niet verlicht. Ik bleef even in het donker turen. Naar de witte rots. Toen zag ik ze. Ze waren met zijn drieën. Alle drie. Bruscati en de chauffeur. En de moordenaar, die gore hufter. Ze klommen snel het smalle pad op dat in het rotspuin verdween en naar tal van kleine kreekjes leidde.

Daar moest Babette rondbanjeren.

'Montale!'

Ik verstijfde. Maar het was geen onbekende stem. Uit de schaduw van een rots zag ik Béraud te voorschijn komen. Alain Béraud. De teamgenoot van Hélène Pessayre.

'Ik zag je aankomen', zei hij, behendig in mijn boot springend. 'Die kerels niet, geloof ik.'

'Wat kom je hier doen? Is zij er ook?'

'Nee.'

Boven aan de helling zag ik de drie mannen verdwijnen.

'Hoe zijn die klootzakken erachter gekomen?'

'Weet ik niet.'

'Hoezo, weet ik niet? Verdomme!' schreeuwde ik met fluisterende stem.

Ik had hem graag door elkaar geschud. Gewurgd.

'Wat spook jij hier dan uit?'

'Ik was in Vallon-des-Auffes. Daarstraks.'

'Waarom?'

'Verdomme, Montale! Dat heeft ze je toch verteld? We wisten dat je vriendin naar die man ging. Ik was daar, toen je hem laatst hebt opgezocht.'

'Ja, dat weet ik.'

'Hélène had het door. De truc met de boot... Slim.'

'Zit niet te zeiken.'

'Ze wilde niet dat jullie hier zonder bescherming waren.'

'Verdomme! Maar ze hebben Félix afgemaakt. Waar was jij toen?'

'Ik kwam net aan. Ik ben er nu pas, in feite.'

Hij stond een ogenblik na te denken.

'Ik ben als laatste vertrokken. Dat was het stomme. Ik had hier gelijk naartoe moeten komen. En dan moeten wachten. Maar... maar ik... We wisten niet zeker of jullie elkaar hier zouden treffen. Het had ook bij Château d'If kunnen zijn. In Planier... Weet ik 't...'

'Ja.'

Ik begreep er niets meer van, maar dat was niet langer belangrijk. We moesten opschieten en Babette zien te vinden. Ze had een voorsprong op de moordenaars, ze kende het eiland als haar broekzak. Tot de kleinste kreek. Het smalste kiezelpad. Jarenlang was ze hier komen duiken.

'We moeten gaan', zei ik.

Ik dacht even na.

'Ik vaar langs de kust. Dan probeer ik haar op te pikken. In een van de kreken. Iets anders weet ik ook niet.'

'Ik ga lopen', zei hij. 'Over het pad. Achter ze aan. Is dat goed?'

'Oké.'

Ik startte de motor.

'Béraud?' zei ik.

'Ja.'

'Waarom ben je alleen?'

'Het is mijn vrije dag', antwoordde hij zonder te lachen.

'Wat?' riep ik uit.

'Montale, dat is 't punt. We zijn aan de dijk gezet. Na haar rapport is de zaak haar uit handen genomen.'

We keken elkaar aan. In Bérauds ogen stond de woede van Hélène te lezen, zo leek het. Haar woede en haar walging.

'Ze is op de vingers getikt. Hard.'

'Wie is er in haar plaats gekomen?'

'De financiële brigade. Maar ik weet nog niet wie verder, als commissaris.'

Nu werd ik door een hevige razernij overspoeld.

'Ga me niet zeggen dat ze over jouw schaduwactiviteiten heeft verteld.'

'Nee.'

Ik greep hem hardhandig bij zijn overhemd, net onder zijn nek.

'Maar je weet 't niet, hè? Waarom ze hier zijn! Nog steeds niet!'

'Jawel... Ik denk van wel.'

Zijn stem was rustig.

'En wie dan wel?'

'De chauffeur. Onze chauffeur. Hij is de enige die 't kan zijn.'

'Shit!' zei ik, hem loslatend. 'En waar is Hélène?'

'In Septèmes-les-Vallons. Ze moet onderzoek doen naar eventuele criminele achtergronden van de branden... Het schijnt dat daar van alle kanten om geroepen wordt. Dat vuur... Ze heeft me gevraagd jullie niet in de steek te laten.'

Hij sprong uit de boot.

'Montale?' zei hij.

'Ja?'

'De kerel die hun boot bestuurde, is vastgebonden en heeft een prop in zijn mond. Ik heb ook de politie gebeld. Die zou er zo moeten zijn.'

En hij zette snel de achtervolging in. Hij trok zijn pistool. Een groot exemplaar. Ik pakte het mijne. Het pistool van Manu. Ik stopte er een patroonhouder in en vergrendelde het.

Langzaam voer ik om het eiland heen. Ik probeerde Babette en de moordenaars te ontdekken. In het bleke licht leek het rotspuin op een maanlandschap. Nog nooit waren deze eilanden me zo luguber voorgekomen.

Ik dacht terug aan wat Hélène Pessayre vanochtend door de telefoon had gezegd. *'We spelen beiden ons eigen spel.'* Zij had het hare gespeeld en verloren. Ik speelde het mijne en was aan de verliezende hand. *'Dat wilde je toch?'* Had ik alles voor de zoveelste keer verknald? Zouden we in deze situatie zitten als...

Babette kwam naar beneden. Langs een smalle doorgang tussen de rotsen.

Ik bracht de boot dichterbij, ervoor zorgend dat ik in het midden van de kreek bleef.

Nu moest ik haar roepen. Nee, nog even wachten. Haar verder naar beneden laten komen. Naar het eind van de kreek.

Ik kwam nog wat dichterbij, zette toen de motor af en gleed langzaam over het water. Ik had nog diepte, vermoedde ik. Ik pakte de roeispanen en ging nog iets dichter naar haar toe.

Ik zag haar te voorschijn komen op de smalle zandbank.

'Babette', riep ik.

Maar ze hoorde me niet. Ze keek naar de top van de rotsen. Het leek alsof ik haar hoorde hijgen. De angst. De paniek. Maar het was alleen mijn eigen hart dat ik hoorde. Als een razende ging het tekeer. Als een tijdbom. Hou je rustig, verdomme! sprak ik mezelf toe. Het gaat beginnen!

Me rustig houden! Me rustig houden.

'Babette!'

Ik had geschreeuwd.

Ze draaide zich om, zag me eindelijk. Begreep. De kerel verscheen op hetzelfde ogenblik. Nauwelijks drie meter boven haar. Wat hij in zijn hand hield was geen gewoon pistool.

'Dekking zoeken!' brulde ik.

Het salvo brandde los en overstemde mijn woorden. De salvo's volgden elkaar op. Babette richtte zich op, alsof ze wilde duiken en viel toen neer. In het water. Het schieten hield abrupt op en ik zag de moordenaar plotseling boven de rotsen verdwijnen. Zijn machinepistool kletterde op de keien. Toen was het plotseling stil. Een ogenblik later viel hij, veel lager, te pletter. De klap van zijn schedel tegen de rots weergalmde in de kreek.

Béraud had raak geschoten.

Ik maakte een grote slag met de riemen. Ik voelde hoe de romp langs de steenachtige bodem schuurde. Ik sprong uit de boot. Babettes lichaam lag nog steeds in het water. Onbeweeglijk. Ik probeerde het op te tillen. Het was loodzwaar.

'Babette', huilde ik. 'Babette.'

Voorzichtig sleepte ik haar lichaam naar het zand. Acht kogels hadden haar rug opengereten. Langzaam draaide ik haar om.

Babette. Ik ging tegen haar aan liggen.

Het gezicht dat ik had liefgehad. Hetzelfde. Nog even mooi. Zoals Botticelli het in zijn dromen had gezien. Zoals hij het op een dag had geschilderd. Op de dag dat de wereld werd geboren. Venus. Babette. Langzaam streelde ik haar voorhoofd, haar wang. Mijn vingers streken langs haar lippen. Haar lippen die me gekust hadden. Die mijn lichaam met kussen hadden overladen. Mij hadden afgezogen. Haar lippen.

Als een waanzinnige drukte ik mijn mond op de hare.

Babette.

De smaak van zout. Ik duwde mijn tong zo hard mogelijk, zo ver mogelijk in haar mond. Voor die onmogelijke kus die ik haar mee wilde geven. De tranen stroomden over mijn wangen. Ook zout. Op haar open ogen. Ik omhelsde de dood. Hartstochtelijk. Oog in oog. De liefde. Elkaar aankijken. De dood. Elkaar blijven aankijken.

Babette.

Haar lichaam schokte. Ik kreeg een bloedsmaak in mijn mond. En ik braakte het enige uit wat ik nog te braken had. Het leven.

'Hé, stomme lul.'

De stem. Die ik uit duizenden zou herkennen.

Boven ons klonken schoten.

Langzaam draaide ik me om, zonder me op te richten, en met mijn kont in het vochtige zand bleef ik zitten. Mijn handen in de zakken van mijn jack. Met mijn rechterhand haalde ik de veiligheidspal van mijn pistool over. Ik verroerde me niet.

Hij richtte een grote colt op me. Staarde me aan. Ik kon zijn ogen niet zien. De verdorvenheid heeft geen blik, dacht ik. Die is blind. Ik stelde me voor hoe hij zijn ogen richtte op het lichaam van een vrouw. Als hij haar neukte. Kon je je door het kwaad laten neuken?

Ja. Ik.

'Je hebt ons proberen te naaien, hè?'

Ik voelde zijn minachting over me heen stromen. Alsof hij me zojuist in mijn gezicht had gespuugd.

'Het heeft geen enkele zin meer', zei ik. 'Zij, ik. Morgenochtend staat alles, maar dan ook alles op internet. De hele lijst.'

Voordat ik was vertrokken had ik Cyril gebeld. Ik had hem gevraagd vanavond alles aan de grote klok te hangen. Zonder Babettes oordeel af te wachten.

Hij lachte.

'Internet, zei je.'

'Iedereen zal die verdomde lijsten kunnen lezen.'

'Hou je bek, stomkop. Waar zijn de originelen?'

Ik haalde mijn schouders op.

'Ze heeft geen tijd gehad om me dat te vertellen, debiel. Daarom waren we hier.'

Nog meer schoten, boven tussen de rotsen. Béraud leefde. Nog wel, in ieder geval.

'Ja, ja.'

Hij kwam naar voren. Hij was nu vier stappen van me verwijderd. Zijn wapen recht op me gericht.

'Je hebt het lemmet van je mes op mijn ouwe makker gebroken.'

Weer lachte hij.

'Had je ook liever gekeeld willen worden, stomkop?'

Nu, zei ik tegen mezelf.

Mijn vinger op de trekker.

Schieten!

*'Zou jij me hem laten doden... Jij?'*

Schieten, godvergeme! brulde Mavros. Ook Sonia begon te brullen. En Félix. En Babette. Schieten! schreeuwden ze. Fonfon, met woedende blik. Honorine, die me met droevige ogen aankeek. *'De eer van de overlevenden...'* Schieten!

Montale, godsakkerju, maak 'm af! Maak 'm af!

*'Ik ga 'm vermoorden.'*

Schieten!

Traag ging zijn arm naar beneden. Strekte zich. Naar mijn schedel.

Schieten!

'Enzo!' schreeuwde ik.

En ik schoot. Alle patronen.

Hij zakte in elkaar. De moordenaar zonder naam. De stem. De stem van de dood. De dood zelf.

Ik begon te beven. Mijn hand verkrampt om de kolf van mijn pistool. Beweeg, Montale. Kom in beweging, niet hier blijven. Ik stond op. Het beven werd steeds erger.

'Montale!' riep Béraud.

Hij was niet ver meer. Opnieuw een schot. Toen stilte.

Béraud riep niet weer.

Ik liep naar de boot. Wankelend. Ik keek naar het wapen dat ik in mijn hand hield. Manu's wapen. Met een wild gebaar gooide ik het ver voor me uit de zee in. Het kwam neer op het water. Met hetzelfde geluid, of bijna, maar in mijn hoofd was het hetzelfde geluid, als de kogel die ik in mijn rug kreeg. Ik voelde de kogel, maar pas daarna hoorde ik het schot. Of omgekeerd, allicht.

Ik deed een paar stappen het water in. Met mijn hand streek ik over de open wond. Het warme bloed op mijn vingers. Het brandde. Vanbinnen. Een brandend gevoel. Het won terrein, net als het vuur in de heuvels. De hectaren van mijn leven werden langzaam verteerd.

Sonia, Mavros, Félix, Babette. We waren verkoolde wezens. Het kwaad greep om zich heen. De brand trok over de planeet. Te laat. De hel.

Zeg Fabio, gaat 't wel? Het gaat toch wel goed? Welja. Het is maar een kogel. Is hij er weer uitgekomen? Nee, verdomme. Je zou zeggen van niet, nee.

Ik liet me in de boot vallen. Languit. De motor. Starten. Ik startte. Nu naar huis. Ik ging naar huis. Het is over, Fabio.

Ik pakte de fles Lagavulin, maakte hem open en zette de hals aan mijn mond. De vloeistof gleed naar binnen. Warm. Dat voelde goed. Je kon het leven niet grijpen, je kon het alleen leven. Wat? Niets. Ik had slaap. De vermoeidheid. Slapen, ja.

Maar vergeet niet om Hélène voor het eten uit te nodigen. Zondag. Zondag, ja. Wanneer is het zondag? Fabio, val niet in slaap, verdorie. De boot. Stuur de boot. Naar huis, daarginds. Les Goudes.

De boot gleed naar het open water. Nu ging het wel. De whisky droop langs mijn kin, in mijn nek. Ik voelde niets meer. Niet in mijn lijf, niet in mijn hoofd. Ik had afgerekend met de pijn. Met alle pijn. En met mijn angsten. De angst.

*De dood ben ik nu zelf.*

Dat had ik gelezen... Daaraan denken, nu.

De dood ben ik zelf.

Lole, wil je het gordijn neerlaten over ons leven? Alsjeblieft. Ik ben moe.

Lole, alsjeblieft.

De analyse over de maffia die in dit boek uiteen wordt gezet, is voor een groot gedeelte gebaseerd op en ontleend aan officiële documenten, in het bijzonder: *United Nations, World Summit for Social Development, Crime Goes Global* (New York: United Nations Department of Public Information, 1995) en artikelen die zijn verschenen in *Le Monde diplomatique*: 'Les confettis de l'Europe dans le grand casino planétaire' van Jean Chesneaux (januari 1996) en 'Comment les mafias gangrènent l'économie mondiale' van Michel Chossudovsky (december 1996). Tal van feiten staan ook vermeld in *Le Canard enchaîné*, *Le Monde* en *Libération*.

Jean-Claude Izzo bij Uitgeverij De Geus

## Teringzooi

Politieman Fabio Montale raakt in enkele maanden tijd twee jeugdvrienden kwijt: vermoord in een machtsstrijd tussen rivaliserende maffiabendes. De moord op het immigrantenmeisje Leila brengt Montale op het spoor van een groep rechtsextremisten van het Front National.

## Chourmo

Na zijn vertrek uit het politiekorps van Marseille leidt Fabio Montale een rustig leventje. Totdat zijn nicht Gélou zijn hulp inroept: haar zoon is verdwenen. In de krant leest hij over een vermoorde Algerijnse historicus en een onbekende jongeman. Montale concludeert dat dit zijn neef moet zijn – en wil weten waarom hij moest sterven.